中小企業診断士

2025
年度版

最速合格のための スピード問題集

③ 運営管理

TAC中小企業診断士講座

ご注意ください

本書はTAC中小企業診断士講座がこれまでに実施した「公開模試、完成答練、養成答練」から良問を精選、収録したものです。これまでに受講されたことのある方はご注意のうえ、ご利用ください。なお、法改正などに対応させるため、必要に応じて改題しています。

2025年度版「スピード問題集」の刊行にあたって

2005年3月に刊行された本書「スピード問題集」は、インプット用の基本テキストである**「スピードテキスト」シリーズに準拠**した、アウトプット用教材です。試験傾向、つまり難易度や出題領域、問題文の構造などは毎年多少なりとも変化しています。本書に収載する問題は、そのような試験傾向の変化を見ながら毎年2～3割程度を入れ替えていますので、**最新の試験傾向を意識した効率的な学習が可能**となっています。

中小企業診断士試験は非常に範囲の広い試験です。60％の得点で合格できることを考えると、学習領域の取捨選択は大変重要です。

「スピードテキスト」と本書「スピード問題集」を併せてご利用いただければ、適切な領域を、適切な深さまで効率的に学習することが可能です。難易度が高い試験ですが、効率的に学習を進めて合格を勝ち取ってください。

ＴＡＣ　中小企業診断士講座
講師室、事務局スタッフ一同
2024年10月

本書の特色

本書で取り上げている問題は、おおむね小社刊「スピードテキスト」の章立てに沿っています。出題領域も、原則として「スピードテキスト」の内容をベースにしていますので、「スピードテキスト」の学習進度に合わせた問題演習が可能となっています。

チェック欄
演習をした日付を記入するためのチェック欄を設けています。演習は繰り返し行いましょう。

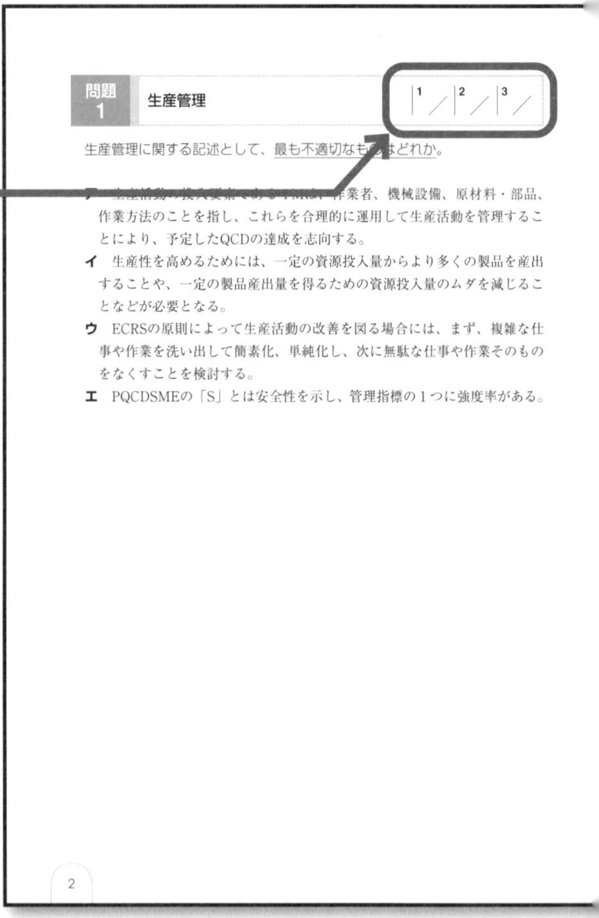

問題1 生産管理 1 ／ 2 ／ 3 ／

生産管理に関する記述として、最も不適切なものはどれか。

ア 生産活動の投入要素である4Mは、作業者、機械設備、原材料・部品、作業方法のことを指し、これらを合理的に運用して生産活動を管理することにより、予定したQCDの達成を志向する。
イ 生産性を高めるためには、一定の資源投入量からより多くの製品を産出することや、一定の製品産出量を得るための資源投入量のムダを減じることなどが必要となる。
ウ ECRSの原則によって生産活動の改善を図る場合には、まず、複雑な仕事や作業を洗い出して簡素化、単純化し、次に無駄な仕事や作業そのものをなくすことを検討する。
エ PQCDSMEの「S」とは安全性を示し、管理指標の1つに強度率がある。

2

問題ページと解答・解説ページが見開きで、答をかくすシートもついているので、学習しやすい！移動時間やランチタイムに、ぜひ活用してください！

『スピードテキスト』とのリンク

各解説の冒頭に、「スピードテキスト」の該当箇所を表示しています。これにより、問題演習時に発生した疑問点についても、よりスムーズに解決することができます。

解説　スピテキLink▶　1編1章1節1項　1章

生産管理用語は繰り返し出題される傾向にあるため、出題された用語は確実に覚えておきたい。

ア　○：正しい。4Mとは、生産活動における主要な投入要素である作業者(Man)、機械設備(Machine)、原材料・部品(Material)、作業方法(Method)のことを指す。4Mを合理的に運用してQCD(品質、コスト、納期)を満たすことにより、生産性の向上を志向することが生産管理上、重要となる。

イ　○：正しい。生産性は「投入量に対する、産出量の比率」(JIS Z 8141-1238)のことであり、「製品産出量÷資源投入量」により算出する。選択肢アの解説…るとおり、生産活動においては投入要素を効率的に…要であり、そのためには生産工程の改善な…投入資源のムダの削減を図ることが必…

ウ　×：E…則」のことで、工程、作業、動作を対…指針である。改善の順番は、排除(Elin…換(Rearrange)、簡素化(Simplify)の順番…る。本肢の記述では、簡素化→排除の順で…が、まず排除を検討することが望ましい。排除で…や作業であれば簡素化の手間を省くことができる。

エ　○：正しい。PQCDSMEは、生産管理の視点を示すものであり、「S」は安全性のことである。安全性を測る管理指標としては、度数率、年千人率、強度率などがある。強度率は、労働時間1,000時間あたりの労働損失日数を表し、労働災害の重さを示す指標となる。強度率は、以下の式により算出される。

$$強度率 = \frac{延べ労働損失日数}{延べ実労働時間数} \times 1,000$$

正解 ▶ ウ

3

ポイント

その問題のテーマや要点をまとめています。

こたえかくすシート

付属のこたえかくすシートで解答・解説を隠しながら学習することができるので、とても便利です。

目　次

第1編　生産管理

第1章　生産管理概論

第2章　生産のプランニング

第3章　生産のオペレーション

第4章 製造業における情報システム

第2編 店舗・販売管理

第1章 店舗・商業集積

第2章 商品仕入・販売（マーチャンダイジング）

第3章 物流・輸配送管理

第4章 販売流通情報システム

第 1 編
生産管理

問題1 生産管理

1 ／ 2 ／ 3 ／

生産管理に関する記述として、最も不適切なものはどれか。

ア 生産活動の投入要素である４Mは、作業者、機械設備、原材料・部品、作業方法のことを指し、これらを合理的に運用して生産活動を管理することにより、予定したQCDの達成を志向する。

イ 生産性を高めるためには、一定の資源投入量からより多くの製品を産出することや、一定の製品産出量を得るための資源投入量のムダを減じることなどが必要となる。

ウ ECRSの原則によって生産活動の改善を図る場合には、まず、複雑な仕事や作業を洗い出して簡素化、単純化し、次に無駄な仕事や作業そのものをなくすことを検討する。

エ PQCDSMEの「S」とは安全性を示し、管理指標の１つに強度率がある。

解説

スピテキLink▶ 1編1章1節1項

POINT 生産管理用語は繰り返し出題される傾向にあるため、出題された用語は確実に覚えておきたい。

ア ○：正しい。4Mとは、生産活動における主要な投入要素である作業者（Man）、機械設備（Machine）、原材料・部品（Material）、作業方法（Method）のことを指す。4Mを合理的に運用してQCD（品質、コスト、納期）を満たすことにより、生産性の向上を志向することが生産管理上、重要となる。

イ ○：正しい。生産性は「投入量に対する、産出量の比率」（JIS Z 8141-1238）のことであり、「製品産出量÷資源投入量」により算出する。選択肢アの解説にもあるとおり、生産活動においては投入要素を効率的に運用することが重要であり、そのためには生産工程の改善などによって生産量の増加や、投入資源のムダの削減を図ることが必要となる。

ウ ×：ECRSの原則とは「改善の4原則」のことで、工程、作業、動作を対象とした分析に対する改善の指針である。改善の順番は、排除（Eliminate）、結合（Combine）、交換（Rearrange）、簡素化（Simplify）の順番で検討するのが一般的である。本肢の記述では、簡素化→排除の順で改善を試みているが、まず排除を検討することが望ましい。排除できる仕事や作業であれば簡素化の手間を省くことができる。

エ ○：正しい。PQCDSMEは、生産管理の視点を示すものであり、「S」は安全性のことである。安全性を測る管理指標としては、度数率、年千人率、強度率などがある。強度率は、労働時間1,000時間あたりの労働損失日数を表し、労働災害の重さを示す指標となる。強度率は、以下の式により算出される。

$$強度率=\frac{延べ労働損失日数}{延べ実労働時間数}\times 1{,}000$$

正解 ▶ ウ

問題 2　生産管理

1 ／ 2 ／ 3 ／

生産現場の改善や管理に関する記述として、最も適切なものはどれか。

ア　3Sは生産の合理化に関する基本原則とされ、単純化、標準化、簡素化の3つで構成される。

イ　5Sは職場管理の前提であり、たとえば「工具置き場に散在された工具を決められた場所に収納する」行為は、整理とよばれる。

ウ　4Mは改善の4原則とよばれ、「Material、Man、Machine、Method」の4つに関する改善の方法をまとめたものである。

エ　直行率とは「投入された主原材料の量と、その主原材料から実際に産出された品物との量との比率」のことである。

オ　強度率とは、労働時間1,000時間あたりの労働損失日数で示され、特定の職場において発生した労働災害の重さを表す指標である。

解説

スピテキLink▶ 1編1章1節1項

各用語の定義は押さえておきたい。

ア ×：3Sが生産の合理化に関する基本原則であることは正しい。しかし、3Sは、単純化、標準化、専門化の3つの総称である。

イ ×：5Sが職場管理の前提であることは正しい。しかし、「工具置き場に散在された工具を決められた場所に収納する」行為は、整頓が該当する。整頓は、必要なものを必要なときにすぐ使用できるように、決められた場所に準備しておくことである。なお、整理は、必要なものと不必要なものを区別し、不必要なものを片づける（捨てる）ことである。

ウ ×：4Mは改善の4原則ではなく、生産管理の対象となる生産の投入要素である。「Material、Man、Machine、Method」の4つが該当することは正しい。なお、改善の原則にはECRSの原則がある。

エ ×：本肢の内容は、歩留りの定義である。直行率とは、生産される製品のうち生産過程で不良とみなされることなく、手直しを必要としないで生産された製品の比率のことである。

オ ○：正しい。強度率とは、特定の職場において発生した労働災害の重さを表す指標であり、以下のように算出される。

$$強度率=\frac{延べ労働損失日数}{延べ実労働時間数}\times 1{,}000$$

正解 ▶ オ

問題 3　生産管理

1 ／　2 ／　3 ／

生産における管理目標「PQCDSME」に関する記述として、最も適切なものはどれか。

ア　Pは生産性を示し、従業員数を付加価値額で除して求められる労働生産性などにより評価される。

イ　Cはコストを示し、販売価格を原価で除して求められる原価率などにより評価される。

ウ　Dは納期を示し、産出された品物の量を投入された主原材料の量で除して求められる歩留りなどにより評価される。

エ　Sは安全性を示し、死傷者数を延べ実労働時間数で除し1,000,000を乗じて求められる度数率などにより評価される。

オ　Mは品質を示し、検査によって不適合と判断された製品の数を検査対象の製品の総数で除して求められる不適合品率などにより評価される。

解説

スピテキLink▶　1編1章1節1項

POINT PQCDSMEは、P（生産性）、Q（品質）、C（原価）、D（納期または数量）、S（安全性）、M（意欲）、E（環境性）を表す。

ア ×：管理目標Pは生産性を表し、生産性の代表的な指標である労働生産性は、付加価値額を従業員数で除して算出する。

$$労働生産性=\frac{付加価値額}{従業員数}$$

イ ×：管理目標Cはコストを表し、原価率はC（コスト）の管理指標であることは正しいが、原価率は原価を販売価格で除して求める。

$$原価率=\frac{原価}{販売価格}$$

ウ ×：管理目標Dは納期または数量を表すが、歩留りは管理目標Pに関する指標である。なお、歩留りの計算式は正しい。

$$歩留り=\frac{産出された品物の量}{投入された主原材料の量}$$

エ ○：正しい。管理目標Sは安全性を表し、度数率はS（安全性）の管理指標であり、度数率は死傷者数を延べ実労働時間数で除し1,000,000を乗じて求める。

$$度数率=\frac{死傷者数}{延べ実労働時間数}\times 1{,}000{,}000$$

オ ×：管理目標Mは意欲を表す。なお、不適合品率はQ（品質）の管理指標であることや不適合品率の計算式は正しい。

$$不適合品率=\frac{不適合品数}{検査対象の総数}$$

正解 ▶ エ

問題4　生産管理

1 ／ 2 ／ 3 ／

管理指標に関する記述として、最も適切なものはどれか。

ア　度数率は、労働災害の重さを示す指標の１つである。

イ　スループットは、人または機械・設備に課せられる仕事量のことである。

ウ　歩留りは、投入された主原材料の量を産出された品物の量で除して求める。

エ　稼働率は、人または機械における有効稼働時間を就業時間もしくは利用可能時間で除して求める。

オ　生産リードタイムは、生産の着手から納品されるまでの時間である。

解説

スピテキLink▶　1編1章1節1項

AをBで除して求める、という表現の選択肢があった場合、AとBが逆になっていないか注意したい。

ア　×：労働災害の重さを示す指標は強度率である。度数率は、災害発生の頻度を表す指標であり、以下のように算出される。

$$度数率=\frac{死傷者数}{延べ実労働時間数}\times 1{,}000{,}000$$

イ　×：本肢の内容は、負荷の定義（JIS Z 8141-1228）である。スループットとは、「単位時間に処理される仕事量を測る尺度」（JIS Z 8141-1208）のことである。

ウ　×：歩留りは、「投入された主原材料の量に対する、その主原材料によって実際に産出された製品の量の比率」（JIS Z 8141-1204）と定義され、産出された品物の量を投入された主原材料の量で除して求める。

エ　○：正しい。稼働率は、「就業時間に対する人の、又は利用可能時間に対する機械の、有効稼働時間の比率」（JIS Z 8141-1237）と定義される。

オ　×：生産リードタイムは、「生産の着手時期から完了時期に至るまでの期間」（JIS Z 8141-3304）と定義される。

正解 ▶ エ

問題 5　生産形態と生産管理

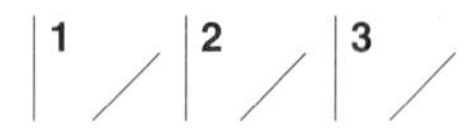

ロット生産に関する記述として、最も適切なものの組み合わせを下記の解答群から選べ。

a　専用ラインを設けるほどの需要は期待できず、各製品の平均需要速度よりも生産設備の生産速度が速い場合に採用される生産方式である。

b　段取り替えは、設備を稼働させながら行う内段取りと、設備を止めて行う外段取りとに分けることができる。

c　１つのロットに含まれる生産個数を決定することを、ロットサイジングという。

d　ロットサイズを小さくすると、段取り替え回数が減少し、生産効率が改善することが多い。

〔解答群〕

ア　aとb　　**イ**　aとc　　**ウ**　bとd　　**エ**　cとd

解説

スピテキLink▶　1編1章1節2項

ロット生産の特徴はしっかりイメージできるようにしておきたい。

a ○：正しい。ロット生産は、1つの機械設備群（生産ライン）で複数の生産品種を生産する。各生産品種の需要量が多ければ、専用ラインを設けて連続生産を行うほうが生産効率がよい。それほどの需要が期待できない場合はロット生産を行う。また、「各製品の平均需要速度よりも生産設備の生産速度が速い場合に採用される」というのは、複数の製品の需要量以上に生産設備の生産量（生産能力）が多い場合に採用することができる、という意味合いである。

b ×：段取り替えは、設備を稼働させながら行う外段取りと、設備を止めて行う内段取りとに分けることができる。

c ○：正しい。

d ×：ロットサイズを小さくする（1回あたりの生産量を少なくする）と、仕掛品が減少し、ロット単位の生産リードタイムは短縮する。しかし、段取り替え回数は増加し、生産効率が悪化することが多い。

正解 ▶ イ

問題 6 生産形態と生産管理

1 ／ 2 ／ 3 ／

生産形態に関する記述として、最も適切なものはどれか。

ア 見込生産の生産管理のポイントとして「納期をどれだけ守れるか」があげられる。

イ ジョブショップ型の工場レイアウトにすると、仕掛品の在庫を減少させやすい。

ウ ロット生産は、見込生産を行う生産現場に見られる生産形態であり、受注生産を行う生産現場では採用されることはない。

エ 多品種少量生産においては、部品の標準化や、類似した製品をまとめて同時に生産することなどによって生産効率の向上を図ることが望ましい。

オ 少品種多量生産の職場においては、製品別レイアウトより機能別レイアウトが適している。

解説

スピテキLink▶　1編1章1節2項

生産形態は、需要（顧客ニーズなど市場環境）と供給（経営方針、製造技術など内部資源）の条件や、製品や製品構成の特性によって次表のとおり分類される。

注文時期	見込生産、受注生産
生産品種・生産量	多品種少量生産、中品種中量生産、少品種多量生産、変品種変量生産
生産指示	押出型、引取型
加工品の流れ	フローショップ型、ジョブショップ型など
生産方式	個別生産、ロット（バッチ）生産、連続生産

ア　×：「納期をどれだけ守れるか」が生産管理のポイントとなるのは受注生産である。見込生産の生産管理のポイントは「販売量と生産量のバランスを考慮して適正在庫を維持すること」などである。

イ　×：仕掛在庫を減少させやすいのは、フローショップ型（製品別）レイアウトである。ジョブショップ型レイアウトが、生産ロットが大きくなるほど、仕掛品が滞留しやすいのに対し、フローショップ型レイアウトは、工程管理・進捗管理が容易になり、仕掛在庫を減少させやすいメリットがある。

ウ　×：ロット生産は、見込生産、受注生産両方の生産現場に見られる生産形態である。ロット生産は断続生産ともよばれ、個別生産と連続生産の中間的な生産形態である。同一製品を一定量生産し、他品種に切り替えて生産することを繰り返す。これは、見込生産、受注生産どちらの場合でも対応可能な生産形態といえる。

エ　○：正しい。多品種少量生産においては、大量生産効果が得にくいため、生産効率を向上させることが課題となる。よって、部品の標準化や、類似した製品をまとめて同時に生産することなどで生産効率の向上を図る取り組みがなされる。

オ　×：少品種多量生産の職場においては、機能別レイアウトより製品別レイアウトが適している。少品種多量生産は、少ない種類の製品を大量に生産する形態であり、製品の種類が少なく、専用ラインによる単純な加工経路をとることが多い。

【各レイアウトのイメージ】

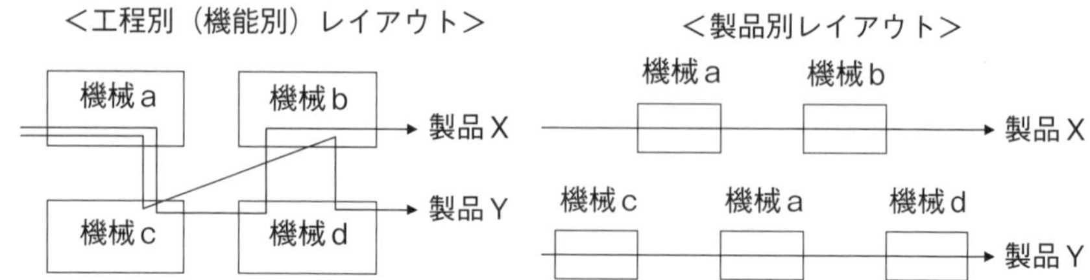

正解 ▶ エ

Memo

問題7　設備配置（レイアウト）

1 ／　2 ／　3 ／

機能別レイアウトの特徴に関する記述として、最も適切なものはどれか。

ア　特定の加工方法についての技術指導が行いにくく、作業者の習熟度合いを高めにくい。

イ　工程間の運搬が煩雑になりやすい。

ウ　工程間での仕事量のバランスを取りやすい。

エ　仕掛り在庫の滞留が起こりにくい。

解説

スピテキLink▶ 1編2章1節1項

機能別レイアウトと製品別レイアウトの特徴は対比して覚えておきたい。

ア ×：機能別レイアウトは、類似の機能を持つ設備をまとめて配置するレイアウトである（切削、穴あけなど機能別に設備を集めて配置する）。よって、各機能を担う職場に熟練工を配置し、習熟度の低い作業員へのOJTなどを行うことによって、特定機能に対するスキルやノウハウを集中的に向上させることが可能となる。

イ ○：正しい。機能別レイアウトは類似の機能を持つ設備をまとめて配置するレイアウトであり、加工内容や加工順が異なる複数の品種を生産する現場で用いられる。品種によって、運搬経路が異なるため、現場では工程間の運搬が煩雑になりやすいという特徴がある。

ウ ×：機能別レイアウトは、製品別レイアウトと比較して工程間での仕事量のバランスを取りにくい。選択肢イの解説で述べたとおり、加工内容や加工順が異なる複数の品種を生産するので、各機能・工程における作業負荷を平準化することは容易ではない。

エ ×：機能別レイアウトは、製品別レイアウトと比較して仕掛り在庫の滞留が起こりやすい。選択肢イやウの解説で述べたとおり、機能別レイアウトの現場では、工程間の運搬や作業負荷が均一になりにくいため、仕掛り在庫を低減するための流れがよい生産を行うことは容易ではない。

正解 ▶ イ

問題 8　SLPの分析手法

1 ／　2 ／　3 ／

システマティックレイアウトプランニング（SLP）に関する記述の正誤の組み合わせとして、最も適切なものを下記の解答群から選べ。

a　P-Q分析図は、縦軸を生産量、横軸を生産品種とした棒グラフで示される。

b　多品種工程分析図表とは、物の流れ分析を行う図表であり、工程間の運搬距離や運搬重量などを把握するために用いられる。

c　アクティビティ相互関係図表とは、アクティビティの順序と近接性を地理的な配置に置き換えた図表である。

d　アクティビティ相互関係ダイアグラムとは、アクティビティ間の関連性を評価するために用いられる。

〔解答群〕

ア　a：正　b：正　c：正　d：誤
イ　a：正　b：誤　c：正　d：正
ウ　a：正　b：誤　c：誤　d：誤
エ　a：誤　b：正　c：正　d：誤
オ　a：誤　b：正　c：誤　d：正

解説

スピテキLink▶　1編2章1節2項

アクティビティ相互関係図表とアクティビティ相互関係ダイアグラムは名称が似ているため、混同しないように注意したい。

a　○：正しい。P-Q分析図は、縦軸を生産量（Quantity）、横軸を生産品種（Product）とした棒グラフで示される。

b　×：多品種工程分析図表が、物の流れ分析を行う図表であることは正しい。しかし、工程間の運搬距離や運搬重量などを把握するために用いられるツールは、フロムツーチャートである。多品種工程分析図表は、中品種中量生産に用いられ、フロムツーチャートは多品種少量生産に用いられる。

c　×：本肢は、アクティビティ相互関係ダイアグラムの説明である。アクティビティ相互関係図表は、各アクティビティの関連性を評価し、近接させたほうがよいか、離したほうがよいかを検討するためのツールである。

d　×：本肢は、アクティビティ相互関係図表の説明である。アクティビティ相互関係ダイアグラムは、「物の流れ分析」と「アクティビティ相互関係図表」を基にして、アクティビティおよび工程を線図に展開し、アクティビティの順序と近接性を地理的な配置に置き換えたものである。

正解 ▶ ウ

問題 9　SLPの分析手法

1 ／ 2 ／ 3 ／

SLP（Systematic Layout Planning）に関する記述として、最も適切なものはどれか。

ア　SLPでは、レイアウトを構成する諸要素を「アクティビティ」として細分化し、各アクティビティを相互に独立した無関連のものとしてレイアウトを設計する。

イ　SLPでは、P（製品）、Q（量）、R（経路）、S（安全確保）、T（時間）の５つは、「レイアウトを解く鍵」と呼ばれている。

ウ　P－Q分析においては、生産量の多いグループに対しては機能別レイアウト、少ないグループに対しては製品別レイアウトを採用するのが一般的である。

エ　物の流れ分析においては、オペレーション・プロセスチャートや加工経路分析図、フロムツーチャートなどが用いられる。

解説

スピテキLink▶ 1編2章1節2項

POINT 工場レイアウトの汎用的な計画法であるSLP（Systematic Layout Planning）の問題である。SLPでは、最初に基本レイアウト（ブロックレイアウト）を作成し、次に各部門における詳細レイアウトを作成する。現在開発されている多くの技法・方法論の基礎となっているので、試験対策としても重要である。

ア ×：SLP（Systematic Layout Planning）とは、リチャード・ミューサーが提唱した汎用的な工場レイアウトの計画法である。SLPでは、レイアウトを構成する諸要素を「アクティビティ」として細分化した上で分析し、アクティビティ相互の関連度に基づいてレイアウトを設計するという特色を持つ。

イ ×：「レイアウトを解く鍵」と呼ばれる、工場レイアウトを考える際の基本要素は、P（製品）、Q（量）、R（経路）、S（補助サービス）、T（時間）の5つである。

ウ ×：P−Q分析とは、横軸にP（製品…製品の種類）、縦軸にQ（量…生産量）を取り、何をどれだけ生産するかについて明らかにするための分析手法である。P−Q分析においては、生産量の多い上位グループに対しては製品別レイアウト、生産量の少ない下位グループに対しては機能別レイアウト、上位と下位の中間に属するグループにはグループ別レイアウトを採用するのが一般的である。

エ ○：正しい。物の流れ分析とは、「どのように製品を生産するか」という観点から、物が移動する際の最も効率的な順序や工程経路を分析する手法である。具体的な分析手法としては、単純工程分析（オペレーション・プロセス・チャート）や多品種工程分析（加工経路分析）、フロムツーチャート（流出流入図表）などが用いられる。

正解 ▶ エ

問題10 SLPの分析手法

1 ／ 2 ／ 3 ／

下図は、ある工場の生産品種Ａ～Ｎについて実施したＰ－Ｑ分析の結果を表している。下図のＡ、Ｂ、Ｃの各グループに適した設備レイアウトと物の流れ分析の手法の組み合わせについて、最も適切なものを下記の解答群から選べ。

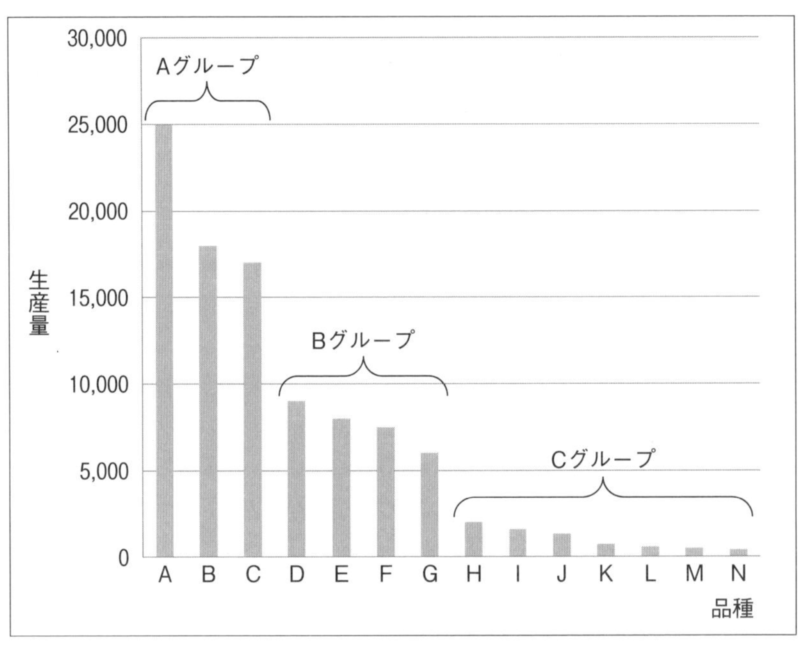

〔解答群〕

ア Ａグループのレイアウト　：製品別レイアウト
　Ａグループの物の流れ分析：単純工程分析

イ Ｂグループのレイアウト　：機能別レイアウト
　Ｂグループの物の流れ分析：単純工程分析

ウ Ｃグループのレイアウト　：グループ別レイアウト
　Ｃグループの物の流れ分析：多品種工程分析

エ Ｃグループのレイアウト　：製品別レイアウト
　Ｃグループの物の流れ分析：フロムツーチャート

解説

スピテキLink ▶ 1編2章1節2項

POINT

P－Q分析は、縦軸に生産量（Q）、横軸に製品種類（P）を左から多い順に並べ、グラフ化することで、生産形態が少品種多量生産（問題の図中のAグループ）、中品種中量生産（Bグループ）、多品種少量生産（Cグループ）のいずれに該当するかを判断し、設備レイアウトの代替案作成に活用する分析手法である。なお、それぞれのグループに適した生産形態や、レイアウト、物の流れ分析は以下の表のとおりである。

【P－Q分析の結果の各手法】

	Aグループ	Bグループ	Cグループ
生産形態	少品種多量生産	中品種中量生産	多品種少量生産または個別生産
レイアウト	製品別レイアウト	グループ別レイアウト	機能別レイアウト
物の流れ分析	単純工程分析	多品種工程分析	フロムツーチャート

【P－Q分析図】

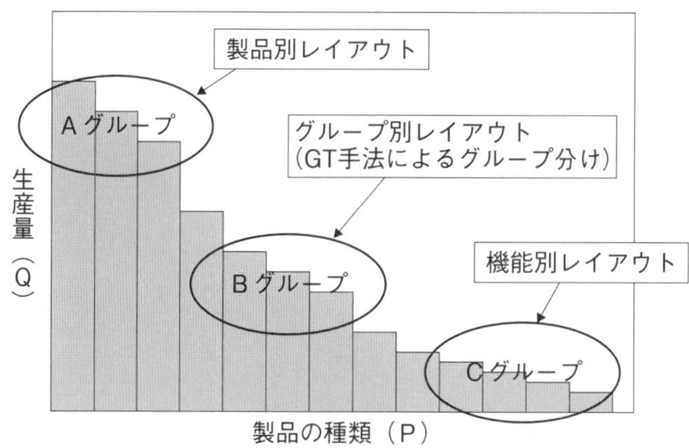

よって、Aグループの少品種多量生産のレイアウトが製品別レイアウトであり、物の流れ分析が単純工程分析である、アが正解である。

正解 ▶ ア

問題 11 ライン生産方式

1 ／ 2 ／ 3 ／

ライン生産方式に関する記述として、最も適切なものはどれか。

ア 編成効率は、サイクルタイムに作業ステーション数を乗じたものを各工程の要素作業時間の和で除すことで算出することができる。

イ サイクルタイムとは、生産ラインに資材を投入する時間間隔のことであり、生産量を生産期間で除すことで設定することができる。

ウ サイクルタイムと作業ステーション数を変更することなく、作業ステーションごとの作業時間のバラツキを平準化することができれば、編成効率を向上させることができる。

エ 静止作業式コンベヤシステムは、作業者がコンベヤ上の品物を作業台に移し作業を行うものであり、小型、軽量製品の生産に用いられることが多い。

解説

スピテキLink ▶ 1編2章2節1項

ライン生産方式の特徴を押さえたうえで、編成効率、サイクルタイムなどの意味合いや計算式についての理解を深めてほしい。

ア ×：編成効率は、各工程の要素作業時間の和を、サイクルタイムに作業ステーション数を乗じたもので除すことで算出することができる。本肢の内容は、計算式の分子と分母が逆となっている。

イ ×：前半の記述は正しい。しかし、サイクルタイムは生産期間を生産量で除すことで設定できるものである。これも選択肢ア同様に、計算式の分子と分母が逆となっている。

ウ ×：選択肢アの解説にもあるとおり、編成効率は、①要素作業時間の和、②サイクルタイム、③作業ステーション数の3つの要素を用いて算出することができる。本肢の平準化の取組からは、前述の①～③の変数が変化したとは考えられない。編成効率を向上させるためには、これらの変数が直接的に改善される必要がある。具体的には、①要素作業時間が最長の作業ステーションの業務負荷の軽減（業務改善や工程間の業務バランスの調整）、②サイクルタイムの短縮化の順で考えるとよい。

エ ○：正しい。「静止作業式コンベヤシステム」は、作業者がコンベヤ上の移動してくる製品を手元の作業台に移し、作業を終えると製品をコンベヤに戻す、という作業方式をいう。作業者がコンベヤ上の製品とともに移動しながら作業を行う「移動作業式コンベヤシステム」と対比して覚えておきたい。

正解 ▶ エ

問題 12　ライン生産方式

1 ／ 2 ／ 3 ／

ある単一品種ラインにおいて、１日の稼働時間５時間、目標生産数量360個を予定している。このときのライン編成効率として最も適切なものを下記の解答群から選べ。なお、各作業ステーションの要素作業時間は下表のとおりである。

作業ステーション	第 1 工程	第 2 工程	第 3 工程
要素作業時間	47 秒	50 秒	38 秒

〔解答群〕

ア　88%

イ　90%

ウ　92%

エ　94%

オ　96%

解説

スピテキLink▶　1編2章2節1項

必要に応じて、ピッチダイアグラムをメモ書きして、視覚的に確認しながら解答したい。

当該ラインのサイクルタイムを求める。サイクルタイムは、以下のように求められる。

$$\text{サイクルタイム}=\frac{\text{生産期間}}{\text{(生産期間中の)生産量}}$$

$$=\frac{5\text{(時間)}\times 3{,}600\text{(秒/時間)}}{360\text{(個)}}$$

$$=50\text{(秒)}$$

与えられたデータをもとに作成したピッチダイアグラムは以下のとおりである。

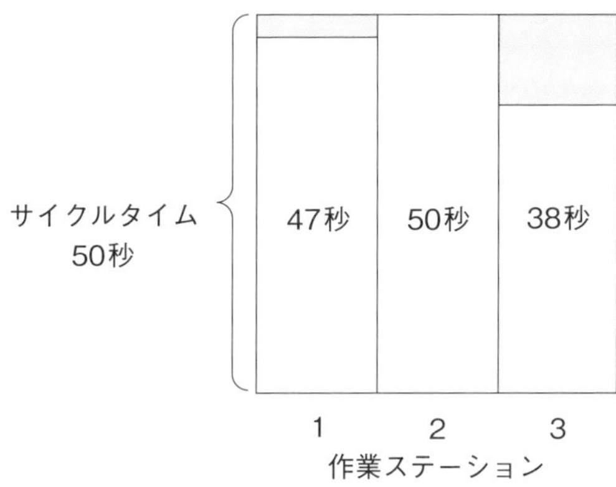

編成効率の公式は以下のとおりである。

$$\text{編成効率}=\frac{\text{各工程の所要時間の合計}}{\text{サイクルタイム}\times\text{作業ステーション数}}\times 100\ (\%)$$

$$=\frac{47+50+38}{50\times 3}\times 100\ (\%)$$

$$=90\ (\%)$$

正解 ▶ イ

問題13 ライン生産方式

1 ／ 2 ／ 3 ／

ある工場において、製品Xを新たに生産するにあたり、新たな生産ライン設置を計画している。生産ラインに関する諸条件は以下のとおりである。このとき、この生産ラインに関するサイクルタイムと編成効率の値の組み合わせについて、最も適切なものを下記の解答群から選べ。

<条件>

・1日の操業時間	10時間
・1日の稼働時間	8時間
・1日の生産量	240単位
・1単位あたりの総作業時間	8.1分
・作業ステーション数	5
・予定される不良率	10%

〔解答群〕

ア サイクルタイム　2分　　編成効率　90%

イ サイクルタイム　2分　　編成効率　81%

ウ サイクルタイム　1.8分　　編成効率　90%

エ サイクルタイム　1.8分　　編成効率　81%

解説

スピテキLink▶　1編2章2節1項

POINT　サイクルタイムの式と編成効率の式と解法は覚えておきたい。

① サイクルタイム

本問は「予定される不良率10%」が条件に与えられている。この場合、サイクルタイム2分で生産しても（2分おきに1単位生産しても）、8時間で240単位の適合品を生産することはできない。不良率が示されている場合のサイクルタイムは以下のように算出する。

$$\text{不良率がある場合のサイクルタイム} = \frac{\text{生産期間} \times (1 - \text{不良率})}{\text{生産量}}$$

$$= \frac{480\text{分} \times (1 - 0.1)}{240} = 1.8\text{分}$$

② 編成効率

編成効率の公式に当てはめ、以下のように算出する。

$$\text{編成効率} = \frac{8.1}{1.8 \times 5} = 0.9 (= 90\%)$$

正解 ▶ ウ

問題14 ライン生産方式

1 ／ 2 ／ 3 ／

混合品種組立ラインの編成を検討した結果、サイクルタイムを100秒、ステーション数を10とする案が提示された。生産される３種類の製品A、B、Cの総作業時間と１か月あたりの計画生産量は、以下の表に与えられている。この案の編成効率に最も近い値を、下記の解答群から選べ。

	製品 A	製品 B	製品 C
総作業時間（秒／個）	900	950	1,000
生産量（個／月）	1,000	1,000	500

〔解答群〕

ア 0.94

イ 0.95

ウ 0.96

エ 0.97

オ 0.98

解説

スピテキLink▶　1編2章2節1項

POINT 混合品種組立ラインの編成効率を求める計算問題である。同様の問題が過去に出題されているため、公式、解法を知っておきたい。

単一品種を流す場合のライン編成効率は以下のとおりである。

$$ライン編成効率 = \frac{各工程の所要時間の合計}{サイクルタイム \times 作業ステーション数}$$

一方、混合品種組立ラインの編成効率を求めるには、製品ごとの生産量と総作業時間の違いを考慮しなければならないため、以下のような式になる。

混合品種組立ラインの編成効率

$$= \frac{各製品の(生産量 \times 総作業時間)を合計した値}{作業ステーション数 \times サイクルタイム \times 各製品の生産量の合計}$$

$$= \frac{1{,}000個 \times 900秒 + 1{,}000個 \times 950秒 + 500個 \times 1{,}000秒}{10ステーション \times 100秒 \times (1{,}000 + 1{,}000 + 500)個}$$

$= 0.94 (94\%)$

正解 ▶ ア

問題 15　セル生産方式

1 ／ 2 ／ 3 ／

セル生産方式や１人生産方式などに関する記述として、最も適切なものはどれか。

ア　セル生産は、類似の機械をまとめて機械グループを構成して工程を編成する場合の生産方式である。

イ　セル生産方式はライン生産方式に比べて、設備費用が増大しやすくなる。

ウ　セル生産方式では、U字のセル内に配置する作業者数の増減が難しいため、ライン生産方式に比べて生産調整は難しい。

エ　１人生産方式では、ライン生産方式に比べて作業者間で生じる工程間の待ち時間や仕掛品の滞留を除去することができ、検査も作業者本人が行うことで、不良品を作り続けることを防止しやすい。

解説

スピテキLink ▶ 1編2章2節2項

POINT セル生産は、グループテクノロジーを利用した生産方式のことであり、グループ化された部品グループとそれらを加工する機械の間に高い相関性が見られ、それぞれの部品グループは機械全体の一部から構成された機械グループによって加工できる。このような機械グループをセルとして構成して生産すると、部品運搬の手間が省かれ、無駄が減少して生産のリードタイムが短縮するといわれている。

ア ×：セル生産は、異なる機械をまとめて機械グループを構成して工程を編成する場合の生産方式であり、類似ではない。

イ ×：セル生産方式は作業が主体の生産形態であり、高額な設備や巨大な設備は比較的少ないという特徴がある。

ウ ×：U字ラインによるセル生産方式を導入することにより、生産量に応じてセルに配置する作業者数を変更して生産量を変更することが比較的容易である。たとえば下図のように、2人から3人に増員すれば、理論上、一定期間あたりの生産量は1.5倍になる。また半分にすれば一定期間あたりの生産量は半分になる（あくまでもロスがないという理論上の数値）。このように、セル生産方式では、セル内の作業員の増減によって生産調整が容易であるという特徴がある。

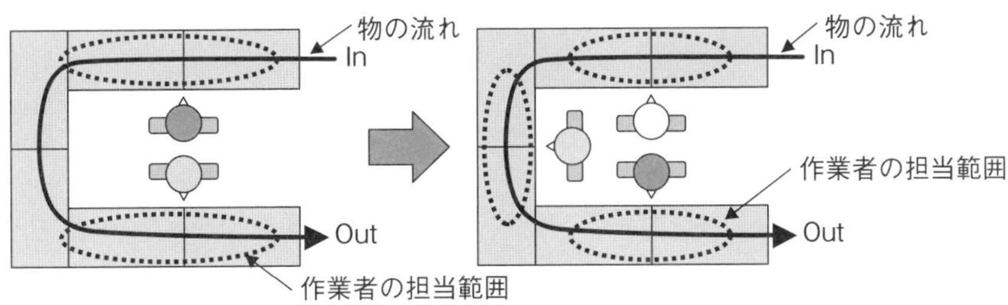

エ ○：正しい。1人生産方式は、U字ライン生産方式と多能工化から派生した生産方式である。1人の作業者は検査を含めすべての作業工程を行うため、能力に応じた生産速度が維持され、作業者間で生じる工程間の待ち時間や仕掛品を除去することができる。

正解 ▶ エ

問題16 JIT生産方式

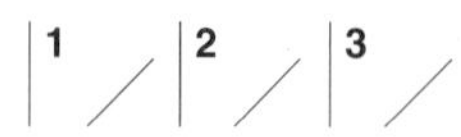

ジャストインタイム（JIT）に関する記述として、最も適切なものはどれか。

ア 平準化生産とは需要の変動に対して、生産を適応させるために、最終組立工程の生産時期と生産量を平準化した生産方式である。

イ かんばん方式では、後工程の運搬人が前工程のストア（部品置場）から部品を引き取るとき、引取かんばんが取り外され、かんばん受け取りポストに入れられる。

ウ 自働化を導入することで、モノの流れ化が短期的に促進される。

エ かんばん方式では、結果的に最終組立ラインのタクトタイムの生産速度にしたがって、部品の加工や前工程からの引き取りを行う。

解説

スピテキLink▶　1編2章2節3項

POINT トヨタ生産方式は「ジャストインタイム」と「自働化」の2つの基本思想から成り立っている。この2つの基本思想のもとに「かんばん」や「後工程引取方式」などの手法を用いて徹底的に無駄を排除することが行われる。

ア ×：平準化生産とは「需要の変動に対して、生産を適応させるために、最終組立工程の生産品種と生産量とを平準化した生産方式」（JIS Z 8141-2202）である。

イ ×：前工程のストア（部品置場）には仕掛けかんばんが付いた状態で部品が置かれ、後工程の運搬人がストアで部品を引き取るとき、部品に付けられている仕掛けかんばんを取りはずし、これをかんばん受け取りポストに入れる。そして引取かんばんを代わりに付けて運搬する。

ウ ×：自働化とは、機械設備の異常（不良）発生時に自動停止させムダと異常を顕在化させるシステムのことで、不良を作り続けることを防止する仕組みである。異常が発生しラインが停止された際には、二度と同じ異常が発生しないように真の原因を究明し徹底的な対策が施される。そのため、中長期的にはモノの流れ化が促進されるが、異常が発生するたびにライン全体が停止するため、短期的にはモノの流れ化が促進されるとはいえない。

エ ○：正しい。タクトタイムは、各生産ラインが1製品、ないしは1部品を何分何秒で生産しなければならないかという標準的時間のことである。トヨタ生産方式（かんばん方式）ではすべての工程が、後工程の要求に合わせて、必要なものを必要な時に必要な量だけ生産するため、結果として最終組立ラインに合わせて、各工程が生産を進めることとなる。

正解 ▶ エ

問題17 JIT生産方式

1 ／ 2 ／ 3 ／

ジャストインタイム生産方式に関する記述として、最も適切なものはどれか。

ア ジャストインタイム生産方式を導入することで、中間仕掛品の滞留の低減が期待できるが、製品あたりの生産リードタイムは長期化するというデメリットも発生することが多い。

イ 自働化とは、機械設備に異常が発生した場合、異常を他工程の作業員にも伝えるための仕組みのことである。

ウ 生産指示かんばんは、前工程の作業員が製造した部品に付し、後工程に引き取られる際に部品から外される。

エ 平準化生産とは需要の変動に対して、生産を適応させるために、先頭の組立工程の生産品種と生産量を平準化した生産方式のことである。

解説

スピテキLink▶　1編2章2節3項

POINT　ジャストインタイム生産方式は、すべての工程が後工程の要求に合わせて、必要なものを必要なだけ生産（供給）する生産方式である（後工程引取方式、引張方式、プルシステム）。そのねらいは、作りすぎによる中間仕掛品の滞留や工程の遊休が生じないように、生産工程の流れ化（スムーズに流れること）と生産リードタイムの短縮である。

ア　×：ジャストインタイム生産方式を導入することで、生産の流れが円滑化し、本当に必要なものしか生産しない体制が整備される。それにより、中間仕掛品の滞留の低減だけでなく、製品あたりの生産リードタイムが短縮化するという効果が期待できる。

イ　×：本肢の内容は、あんどんのことである。自働化とは機械設備の異常発生時に自動停止させ、ムダと異常を顕在化させるためのシステムのことである。

ウ　○：正しい。生産指示かんばんに示された後工程からの生産指示に基づき前工程が部品を生産し、生産された部品に生産指示かんばんを付ける。後工程に引き取られる際には、生産指示かんばんは外され、引き取りかんばんが付けられる。このような運用を行うことで、後工程から生産指示されたもの以外を生産することがなくなり、ムダな仕掛品在庫の発生を抑制することができる。

エ　×：平準化生産とは「需要の変動に対して、生産を適応させるために、最終組立工程の生産品種と生産量とを平準化した生産方式」（JIS Z 8141-2202）のことである。ジャストインタイム生産方式はプルシステムを採用しており、後工程が前工程に生産指示を発する。生産指示の発信源は最終組立工程であり、そのオーダーが平準化されていない場合は、各生産工程の生産が安定しづらいこととなる。

正解　▶ ウ

問題18 かんばん方式

1 ／ 2 ／ 3 ／

かんばん方式に関する記述として、最も適切なものの組み合わせを下記の解答群から選べ。

a かんばん方式を導入することのねらいは、平準化生産を実現することである。

b 引取かんばんのかんばん枚数によって、工程間における部材の総保有数を調整することができる。

c 前工程で生産された仕掛品は、「引取かんばん」を付して部品置き場に置かれる。

d かんばんには、作業を指示する機能と、現物とともに動きその製品が何であるのかを示す機能がある。

〔解答群〕

ア aとb　**イ** aとc　**ウ** aとd　**エ** bとc　**オ** bとd

解説

スピテキLink▶　1編2章2節3項

トヨタ生産方式における「かんばん」とは、後工程引取方式を実現するための手段のひとつである。「かんばん」と「パレット」と部品は、必ず一緒に動くことが運用のポイントである。

a　×：平準化生産とは、「需要の変動に対して、生産を適応させるために、最終組立工程の生産品種と生産量とを平準化した生産方式」（JIS Z 8141-2202）と定義されている。需要が不安定になると品切れを防止するために在庫を持つこととなり、かんばん方式の運用が難しくなる。つまり、かんばん方式では平準化生産が前提となっており、かんばん方式を導入することで平準化生産が実現できるわけではない。

b　○：正しい。選択肢cの解説に記載した図のとおり、引取かんばんの枚数により、工程間における部材の量を管理することができる。たとえば、かんばんに書かれるロット量は1個で、かんばんポストの容量を1枚にすれば、工程間在庫は1個、1回に1個しか生産しないことになる。

c　×：前工程で生産された仕掛品は、仕掛けかんばん（生産指示かんばん）を付して部品置き場に置かれる。後工程から仕掛品を引き取りに来た者は、部品置き場に置かれた仕掛品から仕掛けかんばんをはずし、引取かんばんを付して後工程に持ち帰る。

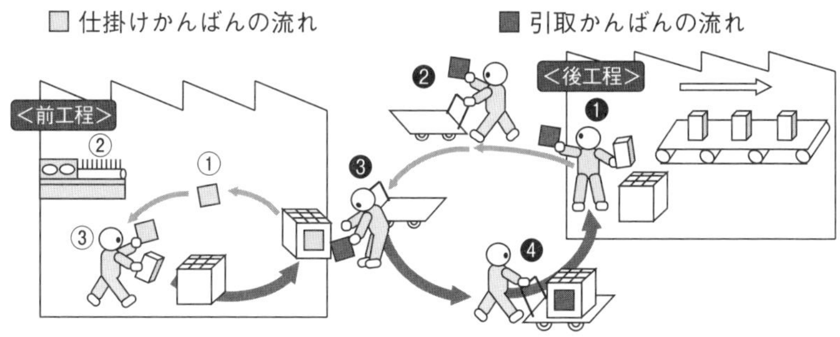

<仕掛けかんばん>

① 引き取られると仕掛けかんばんがはずれる。

② 仕掛けかんばんに指示された数量を作る。

③ 仕掛けかんばんを作った部品に付けて置場に置く。

<引取かんばん>

❶ 使うときに引取かんばんをはずす。

❷ 引取かんばんを持って部品を取りに行く。

❸ 仕掛けかんばんをはずし、引取かんばんを付ける。

❹ 引取かんばんを付けた部品を後工程に運ぶ。

d ○：正しい。かんばんには、何を、いつまでに、どこで、どれくらい作るかを指示したり、何を、どこから、どこまで運ぶかを指示したり、作業を指示する機能がある。また、現物とともに動き、その製品が何であるかを示す現品票としての機能がある。

正解 ▶ オ

Memo

問題19 管理・生産方式

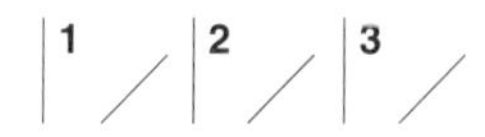

工程管理方式に関する記述として、最も適切なものはどれか。

ア　モジュール生産は、あらかじめ複数種類の部品を組み立てておき、注文を受けてからそれらの組合せによって多品種の最終製品を生産することが可能となる。

イ　調達リードタイムが長い資材の調達活動を円滑にするために、製番管理方式を採用する。

ウ　顧客に正確かつ迅速な見積りを提示するために、常備品管理方式を採用する。

エ　注文ごとの仕様変更や納期変更への対応力を強化するために、かんばん方式を採用する。

解説

スピテキLink▶　1編2章2節3項

管理・生産方式については各方式の名称と内容（特徴）をセットで押さえる必要がある。

ア　○：正しい。モジュール生産は、「複数種類の部品又はユニットのモジュールをあらかじめ生産しておき、受注後にモジュールの組合せによって多品種の製品を生産する方式」（JIS Z 8141-3205）のことである。本肢の内容は、JIS定義に沿った内容である。

イ　×：本肢は、常備品管理方式の説明である。常備品管理方式は、資材を常備品として常に一定量を在庫として保管しておく方式である。調達リードタイムが長い資材は、調達リードタイムが短い資材と比較して欠品を起こしやすいため、常備品とすることで円滑な調達活動を行うことができる。製番管理方式は、「製造命令書において、対象製品に関する全ての加工及び組立の指示書を準備し、同一の製造番号をそれぞれにつけて管理する方式 注釈1 個別生産のほか、ロットサイズの小さい、つまり品種ごとの月間生産量が少ない場合のロット生産で用いられることが多い。」（JIS Z 8141-3212）のことである。製番管理方式は、受注後の生産管理を円滑に行うための管理方式である。

ウ　×：本肢は、生産座席予約方式の説明である。生産座席予約方式とは、「受注したオーダを顧客が要求する納期どおりに生産するため、製造設備の使用日程・資材の使用予定などに割り付けて生産する方式」（JIS Z 8141-3207）のことである。受注時に、製造設備の使用日程・資材の使用予定などが座席表のように表示され、座席予約をするように、製造設備や資材を割り当てる。この座席表は、社内の関係各部署でも共有されるため、資材調達の関連部署も迅速かつ的確に資材手配を行うことができる。

エ　×：本肢は、製番管理方式の説明である（選択肢イの解説参照）。かんばん方式とは、「トヨタ生産システムにおいて、後工程引取り方式を実現する際に、かんばんと呼ばれる作業指示票を利用して、生産指示又は運搬指示をする仕組み」（JIS Z 8141-2203）のことである。「注文ごとの仕様変更や納期変更」への対応には、個別生産方式に採用される製番管理方式が有効である。

正解　▶ア

問題 20　追番管理方式

1 ／　2 ／　3 ／

追番管理方式に関する記述として、最も不適切なものはどれか。

ア　個別生産や小ロット生産で用いられる。

イ　計画と生産物に累積番号を付す。

ウ　部品や製品の不良の管理が行いやすい。

エ　進度管理や現品管理が行いやすくなる。

解説

スピテキLink▶　1編2章2節3項

追番管理方式は、生産の計画と実績に累積製造番号である追番を付け、計画と実績の差で手配計画および進度管理を行うものである。

ア ×：追番管理は、同一の部品や製品に累積生産番号を振っていくため、継続的に生産を行う連続生産や大ロット生産で用いられる。

イ ○：正しい。上記の追番管理方式の説明のとおりである。

ウ ○：正しい。個々の部品や製品に、固有の番号を振ることになるため、部品や製品の不良の管理が行いやすい。

エ ○：正しい。計画と実績の累積番号の差異を確認することで進度管理を行うことができる。また、選択肢ウの解説のとおり、個々の部品や製品に、固有の番号を振ることになるため現品管理がしやすくなる。

正解 ▶ ア

問題21 製番管理方式

1 ／ 2 ／ 3 ／

製番管理方式に関する記述として、最も適切なものはどれか。

ア 顧客のオーダを引き当て、製品の仕様の選択または変更をする生産管理方式である。

イ 連続生産またはロットサイズの大きいロット生産における進度管理や現品管理を目的とした生産管理方式である。

ウ 複数の顧客からの注文を、同時並行で生産していく際に、それぞれの生産に用いる共通部品を融通するなどして、生産現場全体の効率を向上させやすい生産管理方式である。

エ 顧客からの仕様や納期に関する変更などに、柔軟かつ迅速に対応しやすい生産管理方式である。

オ 原則的に、複数の製番に関連する資材をまとめて発注することから、発注費などのコストを低減しやすい生産管理方式である。

解説

スピテキLink▶ 1編2章2節3項

製番管理方式は、個別生産のほか、ロットサイズの小さい、つまり品種ごとの月間生産量が少ない場合のロット生産で用いられることが多い。

ア ×：顧客のオーダを引き当て、製品の仕様の選択または変更をする生産方式は、オーダエントリー方式である。

イ ×：進度管理や現品管理を目的とした生産管理方式は、追番管理方式である。

ウ ×：製番管理方式の場合、製品を構成する部品や材料に関してもその製品のひも付きとして同じ製番が付され、その発注管理なども製番ごとに個別に行われる。そのため、異なる顧客の注文（製番）間では、原則的に同一部品であっても異なる部品として取り扱うこととなり、部品の融通を行うなどの柔軟な対応は行わない。

エ ○：正しい。顧客からの注文ごとに製番を付し、その番号ですべてを管理していくため、顧客からの仕様や納期に関する変更の依頼があった場合、他の製番と独立してその調整を行うことが可能となる。このように、顧客対応が柔軟かつ迅速に行いやすい生産管理方式ということができる。

オ ×：選択肢ウの解説で確認したとおり、資材発注などは原則的に製番単位で行われるため、発注費などのコストを低減しやすい生産管理方式であるとはいえない。

正解 ▶ エ

問題22 VE

1 ／ 2 ／ 3 ／

VE（Value Engineering）に関する記述として、最も適切なものはどれか。

ア VEにおける価値は$\frac{機能}{コスト}$で表され、価値向上のためには、機能を向上させコストを低減させるなどの５つの方法がある。

イ VEにおけるコストとはライフサイクルコストとされ、生産者が認識する開発や生産などに要するすべてのコストが含まれる。

ウ VEの対象となる機能は、基本機能と二次機能であり、それぞれ使用機能と貴重機能に分類される。

エ VEの実施手順の基本ステップは、機能定義、機能評価、代替案作成の３つである。

解説

スピテキLink▶　1編2章3節2項

POINT 従来のコストダウンの方法は、与えられた設計仕様と材料に関して、材料の節約や作業時間の短縮、労力の節減を図ることが主であったが、そこには限界があった。そこで、設計仕様を変更することにより、安価な材料に変えたり、加工しやすい形状に変えるといった発想にしたのがVEである。

ア　×：VEでは、価値を次の式で表している。

$$価値=\frac{機能}{コスト}$$

VEにおける「価値」を高めるための方策としては、①機能一定、コスト低減、②コスト一定、機能拡大、③コスト増加以上に機能拡大、④機能拡大、コスト低減、の4通りがある。なお、機能を低下させ、それ以上にコストを低減させるという考え方はとらないので注意したい。

イ　×：VEにおけるコストがライフサイクルコストで認識されることは正しい。しかし、ライフサイクルコストは、生産者が認識するコストのみならず、使用者が負担する使用コストや廃棄コストなども含んだ総コストと考えられる。

ウ　×：VEにおける製品の機能は、まず使用価値を与える使用機能と、満足感や魅力を感じるような価値を与える貴重機能とに分けて考え、それぞれを重要性の観点から、基本機能と二次機能に分類する。また、二次機能の中には、ユーザーにとっての重要性が乏しい不必要機能が含まれることがある。

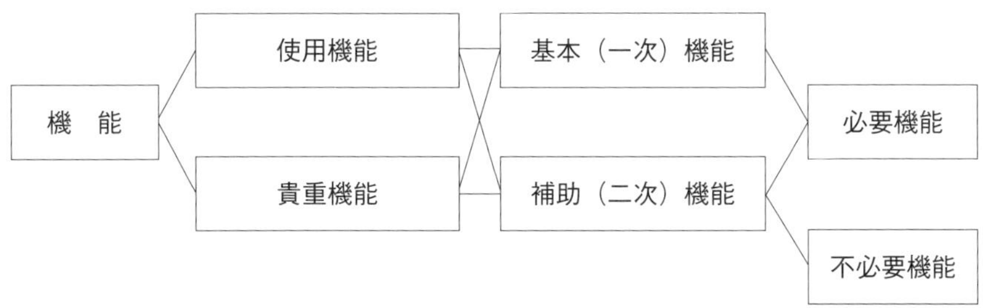

（土屋裕監修『新・VEの基本』産業能率大学出版部刊）

エ　○：正しい。VEの実施手順は以下のとおりである。

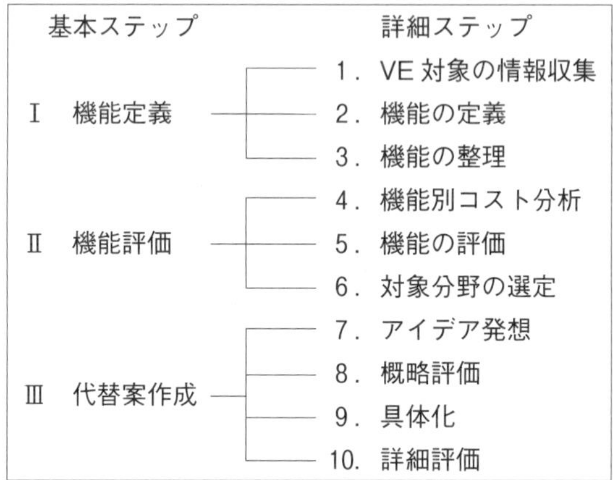

正解　▶ エ

Memo

問題23 VE

1 ／ 2 ／ 3 ／

VE（Value Engineering）に関する記述として、最も適切なものはどれか。

ア VEにおけるコストは、開発、生産に関わる費用および使用に関わるコストから構成される。

イ 製品によっては、貴重機能が使用機能と同一となることもある。

ウ VEの５原則は、使用者優先、技術本位、創造による変更、チーム・デザイン、価値向上である。

エ VEでは価値を、機能とコストの相対比較で捉え、価値を高めるために大きなコスト削減が可能であれば、機能を低下させるという方法も考えられる。

解説

スピテキLink▶ 1編2章3節2項

VEとは、最低の総コストで必要な機能を確実に達成するため、組織的に、製品またはサービスの機能の研究を行う方法のことである。

ア ×：VEにおけるコストの考え方は、製品の開発から、その利用、廃棄までを含めたライフサイクル・コストである。つまり、製造原価のみでなく、その製品を使用する際に発生する運転コストや、操作コスト、保守・サービスの費用、部品の交換コスト、物流コスト、そして使用後の廃棄コストを含む。

イ ○：正しい。VEにおける使用機能とは「製品やサービスを使用するために備えていなければならない機能」であり、貴重機能とは「製品のデザインなど、顧客に魅力を感じさせる機能」である。たとえば宝飾品などの場合、両者は同一に考えることができる。

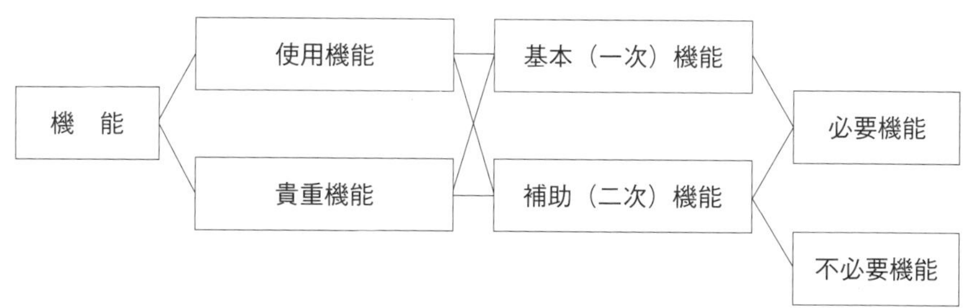

（土屋裕監修『新・VEの基本』産業能率大学出版部刊）

ウ ×：VEの5原則は、使用者優先、機能本位、創造による変更、チーム・デザイン、価値向上である。

エ ×：前半の記述は正しい。しかし、後半の「コストを機能以上に下げて価値を向上する」という考え方はしない。なお、価値を高めるための方法は以下の4通りである。

1）機能を一定に保ち、コストを小さくする
2）コストを一定に保ち、機能を拡大する
3）コストを大きくするが、機能はもっと大きくする
4）機能を拡大し、しかもコストを小さくする

※　VEでは、コストを機能以上に下げて価値を向上するという考え方はしない。

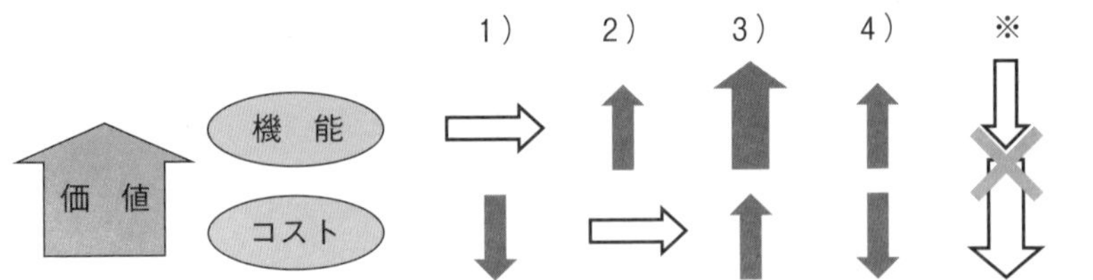

正解 ▶ イ

Memo

問題 24　製品開発・製品設計

1 ／ 2 ／ 3 ／

製品開発・製品設計に関する記述として、最も不適切なものはどれか。

ア　フロントローディングを行うことで、設計の後工程となる生産などの負荷が低減する。

イ　コンジョイント分析とは、製品設計を確定させる段階で顧客の要求を満たす製品設計となっているかを総合的に分析する手法である。

ウ　VEの基本ステップ「機能定義」は、「VE対象の情報収集」、「機能の定義」、「機能の整理」の各ステップで構成される。

エ　品質機能展開（QFD）における品質展開とは、顧客の要求品質を、技術特性に変換するシステムである。

解説

スピテキLink▶ 1編2章3節1・2項

製品開発・製品設計に関する用語は、本試験では頻出ではないものの数年に1度は出題されているので、学習した用語については概要を押さえてほしい。

ア ○：正しい。フロントローディングとは、「製品製造のプロセスにおいて、設計初期段階に重点を置いて、集中的に労力・資源を投入し、後工程で発生しそうな仕様変更などの負荷を前倒しすること」である。フロントローディングを行うことで、後工程における不具合や仕様変更などを減少させ、生産などの負荷を低減することができる。

イ ×：コンジョイント分析とは、製品開発の段階などに、顧客が製品を選考する際の複数の評価項目がその選考に影響を与えているのかを知る分析手法のことである。

ウ ○：正しい。VEの基本ステップ「機能定義」は、「VE対象の情報収集」、「機能の定義」、「機能の整理」の各ステップで構成される。

エ ○：正しい。品質機能展開(QFD：Quality Function Deployment)とは、「製品に対する品質目標を実現するために、様々な変換および展開を用いる方法論」のことである。顧客・市場のニーズを製品・サービスの設計品質を表す代用特性へ変換し、さらに構成部品の特性や工程の要素・条件へと順次系統的に展開していく方法とされる。品質機能展開は、品質展開、技術展開、コスト展開、信頼性展開、業務機能展開などから構成される。そのうち、品質展開とは、顧客の声（言語データ）を技術的な品質展開に転換することを指す。たとえば、「使いやすい製品がよい」という顧客の要望に対し、影響を与える技術特性としては、「製品形状」、「重量」などが影響する、というように置き換えることをいう。

正解 ▶ イ

問題25　ジョンソン法

1／　2／　3／

下記のような工程作業時間を持つ流れ作業の総処理時間を最小にするため、仕事の順序付けにジョンソン法を用いることとした。このケースに関する記述として、最も適切なものを下記の解答群から選べ。

仕事（ジョブ）	工程作業時間（時間）	
	工程 1	工程 2
A	5	3
B	4	6
C	5	5
D	6	2
E	2	4

〔解答群〕

ア　全工程の終了には、作業開始から23時間かかる。

イ　2番目に処理するジョブはEである。

ウ　工程1ですべてのジョブが終わってから、工程2のすべてのジョブが終了するまでの時間は3時間である。

エ　工程2の機械が稼働を開始してから稼働を終了するまでの間の遊休時間は計2時間である。

解説

スピテキLink▶　1編2章5節2項

POINT ジョンソン法は、同じ問題を繰り返し解き、解法を確実に習得しておくことが求められる。

ジョンソン法の処理問題である。ジョンソン法のルールによって順序付けを行うと下記のような手順となる。

① まず、すべての処理時間の中から最小の「工程１のE」と「工程２のD」（ともに２時間）を選び、工程１であるジョブEを先頭に、工程２であるジョブDを最後尾に置く。

② 次に、DとEを外して残りの中から最小の「工程２のA」（３時間）を選び、工程２であるから最後尾から２番目に入れる。

③ 次に、AとDとEを外して残りの中から最小の「工程１のB」（４時間）を選び、工程１であるから先頭から２番目に入れる。

④ 残ったCを先頭から３番目に入れると、E→B→C→A→Dの順序となる。工程１が終了しないと工程２は始められないため、この点を考慮して、各ジョブを時間軸に沿って配置すると下図のようになる。

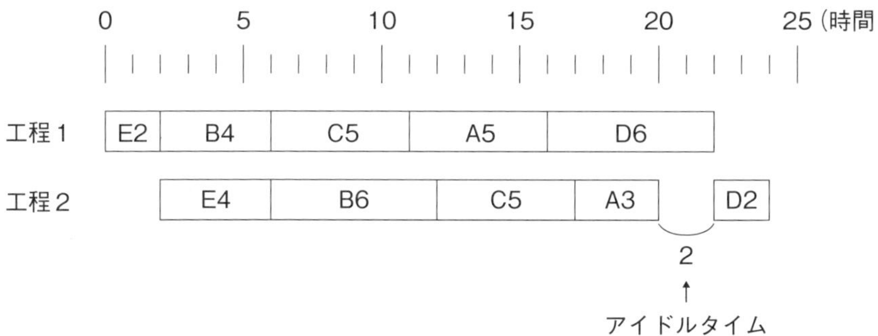

ア ×：上図のとおり、工程１の作業開始から工程２の作業終了までは24時間かかる。

イ ×：上記のとおり、２番目に処理するのはジョブBである。

ウ ×：上図のとおり、工程１ですべてのジョブが終わってから、工程２のすべてのジョブが終了するまでの時間は２時間である。

エ ○：正しい。上図のとおり、工程２の機械の遊休時間（アイドルタイム）は、ジョブAとジョブDの間の２時間である。

正解 ▶ エ

問題 26 ディスパッチング法

1 ／ 2 ／ 3 ／

2機械ジョブショップにおいて、各ジョブの作業時間、納期、作業順序が下表に与えられている。各ジョブのジョブ投入順序を最早納期順ルールで決定したとき、総所要時間の値として最も適切なものを下記の解答群から選べ。

	作業時間		納期	作業順序
	機械 1	機械 2		
ジョブ 1	3	3	9	機械 1 →機械 2
ジョブ 2	4	2	10	機械 1 →機械 2
ジョブ 3	4	2	16	機械 2 →機械 1
ジョブ 4	2	5	13	機械 2 →機械 1

〔解答群〕

ア 13　**イ** 14　**ウ** 15　**エ** 16　**オ** 17

解説

スピテキLink▶　1編2章5節2項

ディスパッチングルール（ディスパッチング法）は、「待ちジョブのなかから、次に処理するジョブを決めるための規則」（JIS Z 8141-3314）と定義されている。

各ジョブの投入順序を最早納期順ルールで決定するという制約が与えられている。最早納期順とは、納期が短いジョブを先に着手するというルールである。

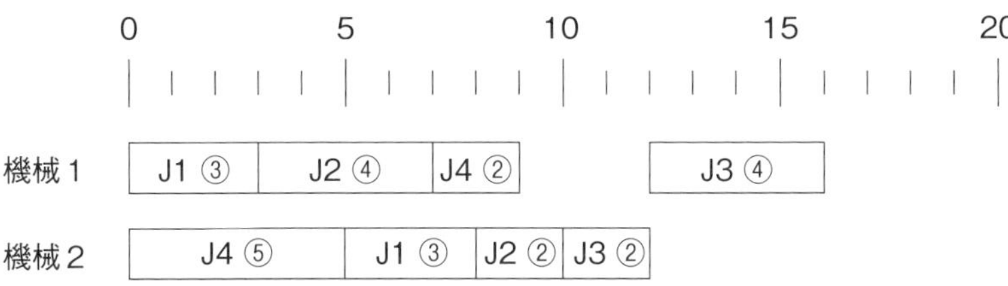

＜順序決定の手順＞

① 作業順序で機械1を先とするジョブ1、ジョブ2のうち、納期が短いジョブ1を先に着手する。

② 作業順序で機械2を先とするジョブ3、ジョブ4のうち、納期が短いジョブ4を先に着手する。

③ 機械1で最初に着手したジョブ1の作業時刻3の経過後に、機械1に着手できるのはジョブ2のみであるため、ジョブ2に着手する（作業時刻3の時点で、ジョブ4は機械2の加工中であり、ジョブ3は作業順序で先の機械2を未加工のため、機械1の加工を施せない）。

④ 機械2で最初に着手したジョブ4の作業時刻5の経過後に、機械2に着手できるのはジョブ3と、機械1の加工を終えたジョブ1である（作業時刻5の時点で、ジョブ2は先に加工すべき機械1を未加工のため、機械2の加工を施せない）。着手可能なジョブ1、ジョブ3のうち、納期が短いジョブ1に着手する。

⑤ 機械1で2番目に着手したジョブ2の加工終了時刻7時点で、機械1に着手できるのはジョブ4のみであるため、ジョブ4に着手する（作業時刻7の時点で、ジョブ3は先に加工すべき機械2を未加工のため、機械1の加工を施せない）。

⑥ 機械2で2番目に着手したジョブ1の加工終了時刻8時点で、機械2に

着手できるのはジョブ３と、機械１の加工を終えたジョブ２である。着手可能なジョブ２、ジョブ３のうち、納期が短いジョブ２に着手する。

⑦　機械１で３番目に着手したジョブ４の加工終了時刻９時点で着手できるジョブはない（ジョブ３は機械１に未着手であるが、先に加工すべき機械２に未着手である）。

⑧　機械２で残ったジョブ３に着手する。

⑨　機械１で残ったジョブ３に着手する。

以上のように着手順を決定し、その結果、総所要時間は16となる。

正解 ▶ エ

Memo

問題27 PERT

1 ／ 2 ／ 3 ／

下に示された表は、ある業務を構成するタスクの前後関係や所要期間を表したものである。この表を基に、この業務を最も早く完了させるために必要な日数として、最も適切なものを下記の解答群から選べ。

タスク名	先行作業	所要期間（日）
A	―	2
B	―	3
C	A	3
D	A	2
E	B	4
F	C	2
G	D、E	3

〔解答群〕

ア 10日　**イ** 11日　**ウ** 12日　**エ** 13日

解説

スピテキLink▶ 1編2章5節3項

POINT PERTとは、プロジェクト全体を構成する各作業の先行関係をアローダイアグラムという表記法を用いて記述することで、プロジェクト全体の所要時間を算出し、さらにクリティカルパスを明らかにして所要時間の短縮を図る手法である。

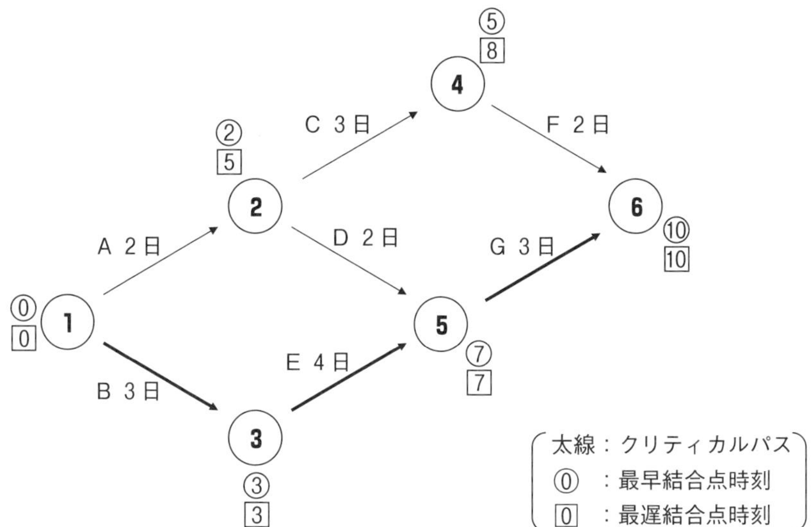

クリティカルパスは、作業B→E→Gとなる。このクリティカルパス上の作業が遅れると、プロジェクト全体の遅れにつながるため、クリティカルパスは全体の日程管理の最重要点となる。総日数は、B 3日＋E 4日＋G 3日＝10日となる。

正解 ▶ ア

問題28 PERT

1 ／ 2 ／ 3 ／

受注したプロジェクトを遂行するために必要な作業の先行関係と所要日数が以下の表に与えられている。このプロジェクトに関する記述のうち、最も不適切なものを下記の解答群から選べ。

作業名	先行作業	所要日数
A	－	3
B	－	4
C	A	2
D	A	5
E	B	3
F	C	4
G	C、D、E	3

〔解答群〕

ア　クリティカルパスに含まれない作業は４つある。

イ　このプロジェクトを完了するための最短期間は12日である。

ウ　アクティビティＡを１日短縮することにより、プロジェクトの所要日数を１日短縮することができる。

エ　アクティビティＧを２日短縮することにより、プロジェクトの所要日数を２日短縮することができる。

解説

スピテキLink▶ 1編2章5節3項

POINT クリティカルパスとは、アローダイアグラム上でプロジェクトの所要日数を決定付ける作業の経路である。

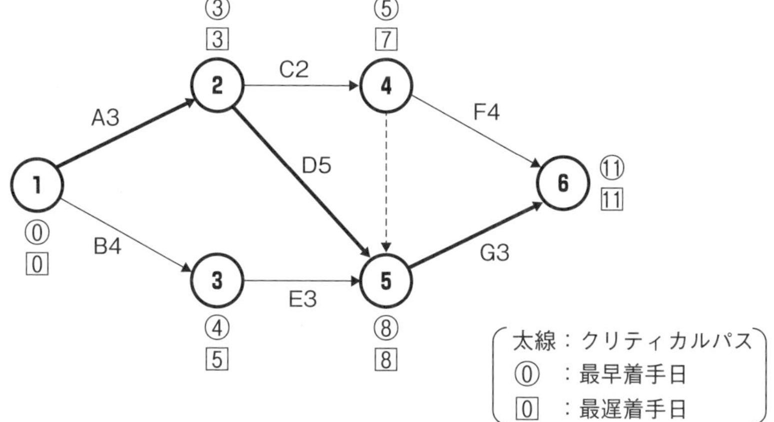

ア ○：正しい。クリティカルパスは上図のとおりA→D→Gである。クリティカルパスに含まれない作業はB、C、E、Fの4つである。

イ ×：このプロジェクトを完了するための最短期間は、クリティカルパスのA3→D5→G3の所要日数である11日となる。クリティカルパスは、各ノードのうち余裕日数がない（最早着手日と最遅着手日が一致する）ものを結んだルートとなる。

ウ ○：正しい。クリティカルパス内の作業であるアクティビティAを1日短縮することにより、プロジェクトの所要日数を1日短縮することができる。

エ ○：正しい。クリティカルパス内の作業であるアクティビティGを2日短縮することにより、プロジェクトの所要日数を2日短縮することができる。なお、この際には元々のクリティカルパス以外のルートがより所要日数を要するルートになっていないか、確認する必要がある。元々のクリティカルパスの日数が11日から2日短縮されて9日になったとしても、他のルートが10日要することがあれば、プロジェクトの所要日数は9日とはならず10日となるからである（プロジェクトの所要日数を1日しか短縮できないからである）。

正解 ▶ イ

問題29 PERT

1 ／ 2 ／ 3 ／

受注したプロジェクトを遂行するために必要な作業の先行関係と所要日数が以下の表に与えられている。このプロジェクトに関する記述として最も適切なものを下記の解答群から選べ。

作業名	先行作業	所要日数
A	ー	3
B	A	7
C	A	5
D	B、C	10
E	C	7
F	D、E	4
G	D、E	5
H	F、G	5

〔解答群〕

ア　プロジェクト完了の最短所要日数は29日である。

イ　1日の作業遅れがプロジェクトの所要日数に影響する作業は、作業A、D、F、G、Hである。

ウ　追加費用100万円（A案とする）を投じることで、作業Dの工程を10日から8日に短縮できる場合、総日程を2日短縮することができる。

エ　追加費用100万円（B案とする）を投じることで、作業Gの工程を5日から2日に短縮できる場合、総日程を3日短縮することができ、選択肢ウのA案よりも費用対効果の点で有利である。

解説

スピテキLink▶ 1編2章5節3項

POINT 解法の手順は、①所与の表からアローダイアグラムを作成する、②最早結合点時刻と最遅結合点時刻を算出する、③クリティカルパスを認識する、④費用対効果を考慮した日程短縮の効果を検証する、となる。

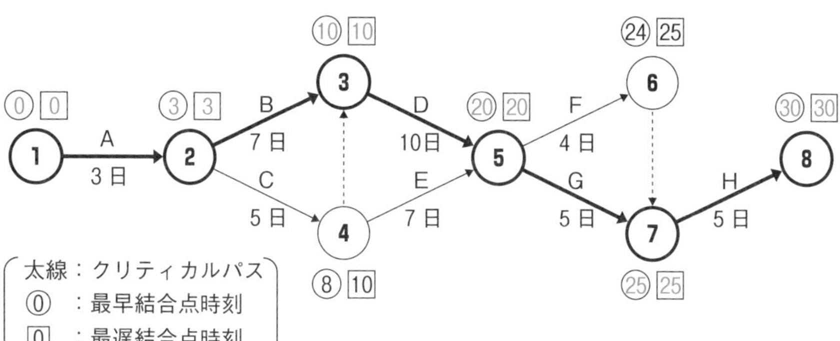

ア ×：プロジェクト完了の最短所要日数は30日である。

イ ×：「1日の作業遅れがプロジェクトの所要日数に影響する作業」というのは、クリティカルパス上の作業のことである。最早結合点時刻（EPST：Earliest Possible Start Time）と最遅結合点時刻（LPST：Latest Possible Start Time）が一致する結合点を結んだものがクリティカルパスになる。クリティカルパス上の作業は、A、B、D、G、Hである。

ウ ○：正しい。選択肢イで解説したように、作業Dはクリティカルパス上に存在しており、2日間の短縮ができれば全体スケジュールも2日間短縮できる（本肢のケースでは、日程を短縮しても、クリティカルパスの経路が変更しないため）。プロジェクトの工期を短縮する場合は、クリティカルパス上のアクティビティを検討する必要がある。

エ ×：現状においては作業Gもクリティカルパス上に存在しており、その意味では短縮すれば全体日程を短縮できる余地がある。しかし作業Gを5日から2日に短縮しても、クリティカルパスの経路が作業A、B、D、G、Hから作業A、B、D、F、Hに移動してしまい、

A案と同じ100万円を投じても、B案は全体として1日間の短縮しかできないため、効果は選択肢ウのA案のほうが大きい。以上により、A案のほうがB案よりも費用対効果の点で有利となる。クリティカルパスが変化すると、実際に短縮した作業日数よりも全体工期を短縮することができないことがある、ということを確認しておいてほしい。なお、下図がB案を実施した場合のアローダイアグラムとなる。

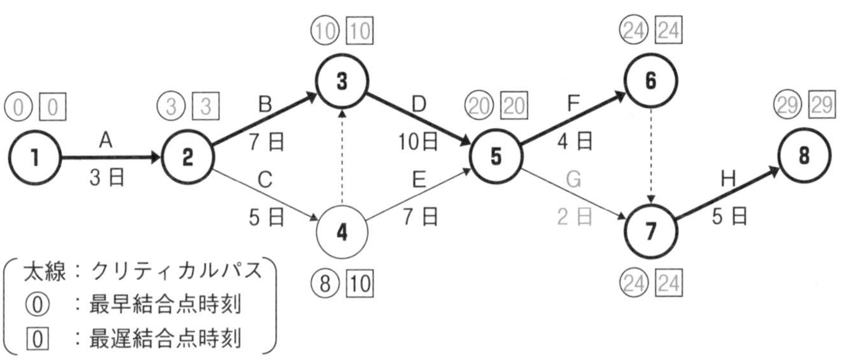

正解 ▶ ウ

Memo

問題 30 線形計画法

1 ／ 2 ／ 3 ／

ある工場では、２つの生産設備を用いて２種類の製品X、Yが生産可能である。以下の表には、製品１単位を生産するのに必要な工数と製品１単位あたりの利益、および各設備において使用可能な工数が示されている。

使用可能な工数の範囲内で製品X、Yを生産するとき、下記の解答群に示す生産量の組（Xの生産量，Yの生産量）のうち、総利益を最も高くする実行可能なものはどれか。

	設備 1	設備 2	製品 1 単位当たりの利益
製品 X	2	3	4
製品 Y	4	3	6
使用可能工数	20	24	−

〔解答群〕

ア（10,　0）　**イ**（0，5）　**ウ**（4，3）　**エ**（6，2）

解説

スピテキLink▶ 1編2章5節4項

POINT 与えられた制約条件（製品1単位の生産に必要な原料の量や原料保有量など）の範囲内で、目的（総利益）を最大化する解を求めるには線形計画法（図解法など）を用いることが一般的であるが、解答に非常に時間がかかるため、以下のように所与の数値を代入し算出することが現実的な解法となる。

まず、それぞれの総利益を算出する。総利益の高い組み合わせの順に、使用可能工数内で生産可能かどうかを検証する。選択肢アの（10, 0）は、総利益が最も高くなるものの、設備2の使用可能工数を超えてしまうため生産することはできない。次に総利益が高い選択肢エの（6, 2）の組み合わせでは設備1、設備2とも使用可能工数の範囲で生産が可能なため、選択肢エの組み合わせが総利益を最も高くする組み合わせとなる。

	総利益	設備 1 の工数（使用可能工数 20）	設備 2 の工数（使用可能工数 24）
ア（10, 0）	4×10＋6×0＝40 ①	2×10＋4×0＝20	3×10＋3×0＝30
イ（0, 5）	4×0＋6×5＝30 ④		
ウ（4, 3）	4×4＋6×3＝34 ③		
エ（6, 2）	4×6＋6×2＝36 ②	2×6＋4×2＝20	3×6＋3×2＝24

正解 ▶ エ

問題31　需要予測

1 ／ 2 ／ 3 ／

需要予測に関する記述として、最も適切なものはどれか。

ア　移動平均法を用いる場合、計算対象となる観測値のサンプルが多いほど需要予測の精度を高められる。

イ　一般的に、加重移動平均法を用いる場合、古い観測値の加重を重くすることが多い。

ウ　指数平滑法を用いる場合、過去の予測値よりも直近の実績値を重要視した予測値を算出するためには、平滑化定数の値を大きく設定する。

エ　指数平滑法を用いる場合、需要変動が大きいと判断すると、平滑化定数の値を小さく設定する。

解説

スピテキLink▶　1編2章5節4項

需要予測の領域では、移動平均法と指数平滑法は頻出のため、特徴は覚えておきたい。

ア　×：移動平均法を用いる場合、計算対象となる観測値のサンプルが多いほど需要予測の精度を高められるとは限らない。たとえば、需要変動が大きい品物に対する需要予測を行う場合、直近の実績データは有用な情報となり、遠い過去の観測値データはむしろ最新の需要予測を行う上で誤った予測結果をもたらす情報となりうる。

イ　×：一般的に、加重移動平均法を用いる場合、直近の観測値の加重を重くし、古い観測値の加重を軽くすることが多い。通常は、古いデータよりも新しいデータのほうが有用な情報となるため、加重を大きくすることが多い。

ウ　○：正しい。指数平滑法による次期の需要予測値は、以下の計算式で算出できる。

> 次期の需要予測値
> 　＝当期の需要予測値＋平滑化定数（α）
> 　　×（当期の需要実績値－当期の需要予測値）

指数平滑法を用いる場合、過去の予測値よりも直近の実績値を重要視した予測値を算出するためには、平滑化定数の値を大きく設定する。

エ　×：指数平滑法を用いる場合、需要変動が大きいと判断すると、平滑化定数の値を大きく設定する。平滑化定数の値を大きく設定したほうが、直近の実績値を大きく反映することができるためである。

正解 ▶ ウ

問題32 需要予測

1 ／ 2 ／ 3 ／

需要予測に関する記述として、最も適切なものはどれか。

ア 指数平滑法は、当期の実績値と前期の実績値を加重平均して次期の予測値を算出する方法である。

イ 重回帰分析は、過去の需要データ以外のさまざまなデータを予測値に反映させることができる。

ウ 移動平均法では、実績データの対象範囲を広げることにより、予測値が需要の変化に追随しやすくなる。

エ 移動平均法を用いる場合、予測に用いる実績データの数は短いサイクルで見直すことが望ましい。

解説

スピテキLink▶ 1編2章5節4項

需要予測に用いられる移動平均法と指数平滑法について、それらの特徴を理解し、計算式を覚え、計算処理ができることが求められる。

ア ×：指数平滑法は、当期の実績値と当期の予測値を加重平均して次期の予測値を算出する方法である。

イ ○：正しい。重回帰分析は、たとえばビールの売上を、当日の気温と湿度から予測するというように、過去の需要データ以外のデータから予測することが可能である。

ウ ×：移動平均法では、実績データの対象範囲を狭めることにより、予測値が需要の変化に追随しやすくなる。対象月を狭くすると、需要傾向にある程度の追随が可能となるが、サンプル数が少ないため、ノイズ（偶然によっておこる不規則な変動）の影響を大きく受ける可能性がある。

エ ×：移動平均法を用いる場合、平均をとる実績データの数を見直すことはあるが、短いサイクルで（頻繁に）実績データの数を変更すると、予測の根拠となる基準が頻繁に変更されることとなる。たとえば、今月は直近3か月の移動平均値を用い、来月は直近4か月の移動平均値を用い、再来月は直近5か月の移動平均値を用いる、といった変更を行うと移動平均値の基準が不明確となる。したがって、平均をとる実績データの数は短いサイクルで見直すことが望ましいとはいえない。

正解 ▶ イ

問題33　生産統制

1 ／ 2 ／ 3 ／

余力管理に関する記述として、最も適切なものはどれか。

ア　余力がプラスになった場合に、終業時間の延長や、一部の業務の外注化を検討する。

イ　能力に対し負荷が不足している場合に、納期遅延が起こりやすい。

ウ　人員や機械設備の能力と負荷を調整して、手待ち時間をなくすことや進度の適正化を図る業務である。

エ　作業者工程分析図表や流れ線図は、余力の把握を目的として使用される。

解説

スピテキLink▶　1編2章5節5項

POINT 余力管理は、「各工程または個々の作業者について、現在の負荷状態と現有能力とを把握し、現在どれだけの余力または不足があるのかを検討し、作業の再配分を行って能力と負荷を均衡させる活動」（JIS Z 8141-4103）である。

ア　×：余力がプラスとは、「（生産）能力＞負荷」の状態である。この場合には、すでに遊休が生じている可能性があり、終業時間の延長や、一部の業務の外注化を実行すると、余力がより大きくなり、能力と負荷を均衡させることができない。余力がプラスになった場合には、作業の前倒しや、他の職場への応援などを検討する。

イ　×：能力に対し負荷が不足しているということは、余力がプラスになっているということであり、納期遅延は起こりづらい。能力に対し負荷が過剰である場合に余力がマイナスとなり、納期遅延が起こりやすくなる。

ウ　○：正しい。余力管理は、進捗管理と並行して進められる。進捗管理が、作業を予定に対する進みや遅れの調整という観点から管理するのに対し、余力管理は作業と負荷のバランスという観点から進度の適正化を図る業務である。

エ　×：流れ線図とは、人や物のムダな動きなどを分析する際に使用される。作業者工程分図表は、主に作業台のレイアウト、作業手順や作業動作などの改善を目的として使用される。いずれも余力の把握を目的として使用するものではない。

正解 ▶ ウ

問題34 生産統制

1 ／ 2 ／ 3 ／

現品管理の活動に関する記述の正誤の組み合わせとして、最も適切なものを下記の解答群から選べ。

a 生産計画の見直しを実施し、仕掛品在庫を低減させた。

b 運搬方法を変更し、製品の傷、変形や破損を防止した。

c 流動数分析を実施し、滞留期間の管理を行った。

d 仕入先から原材料を受け入れる際に数量を数え、注文数との差異がないか確認を行った。

〔解答群〕

ア a：正　b：正　c：正　d：正

イ a：正　b：誤　c：正　d：正

ウ a：正　b：誤　c：正　d：誤

エ a：誤　b：正　c：誤　d：正

オ a：誤　b：誤　c：誤　d：正

解説

スピテキLink▶　1編2章5節5項

現品管理と在庫管理の違いを押さえたい。

a ×：仕掛品を低減させ、好ましい在庫水準を維持することは在庫管理に該当する。在庫管理は、「必要な資材を、必要なときに、必要な量を、必要な場所へ供給できるように、各種品目の在庫を好ましい水準に維持するための諸活動」（JIS Z 8141-7301）と定義されている。

b ○：正しい。現品管理とは、「資材、仕掛品、製品などの物について運搬・移動又は停滞・保管の状況を管理する活動 注釈1 現品の経済的な処理並びに数量及び所在の確実な把握を目的とする。現物管理ともいう」（JIS Z 8141-4102）と定義されている。本肢の内容は運搬・移動の状況を管理する活動である。

c ×：流動数分析は、前工程からの仕掛品の累積受入数量と次工程への累積払出数量を日時で比較し、その差から仕掛品の在庫量や過少過多、停滞時間などを把握するものである。この停滞時間を見ることで進度管理を行うことができる。

d ○：正しい。現品管理とは、どこに、何が、どのくらいあるかを的確に把握する活動であるといえる。情報（注文数）と現物に差異が発生していないか確認する作業は現品管理の一環である。

正解 ▶ エ

問題 35

流動数曲線

1 ／ 2 ／ 3 ／

ある生産現場の工程について、１週間の流動数分析を実施した。下図は、この期間内での受入・払出の結果を流動数分析図にまとめたものである。この流動数分析図の分析結果として、最も適切なものを下記の解答群から選べ。

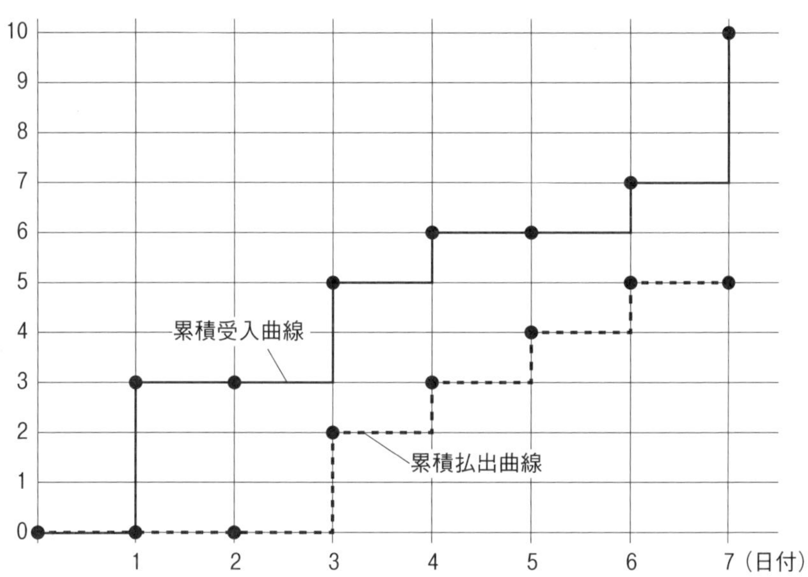

〔解答群〕

ア　２日目の在庫量は、２個である。

イ　最大仕掛り日数は、４日間である。

ウ　製品の平均在庫量は、３（個／日）である。

エ　最大在庫量は、４個である。

解説

スピテキLink▶　1編2章5節5項

POINT グラフの両曲線のタテの差分は（当該日の）「在庫数」を、ヨコの差分は（当該仕掛品の）「仕掛り日数」を表す。グラフの読み取りができるようにしておきたい。

ア　×：2日目の累積受入数量は3個、累積払出数量は0個であるため、在庫量は3個である。

イ　×：最大仕掛り日数は、3日間である。3個目の仕掛品は受入日が1日目、払出日が4日目であるため、仕掛り日数は3日間となる。同様に、5個目の仕掛品は受入日が3日目、払出日が6日目であるため、仕掛り日数は3日間となる（7日目の累積払出数量5個をもとに、4日間と認識しないようにしたい）。また、6個目の仕掛品は4日目に受け入れて未払出であるが、本問で把握できる7日目までの分析結果としては、仕掛り日数3日間となる。

ウ　○：正しい。製品の平均在庫量は、「各日の在庫量の総和／日数」で算出することができる。

平均在庫量＝(3＋3＋3＋3＋2＋2＋5)÷7＝3(個／日)

エ　×：最大在庫量は、7日目の5個である。7日目の累積受入数量は10個、累積払出数量は5個であるため、在庫量は5個となる。

正解 ▶ ウ

問題36 部品表

1 ／ 2 ／ 3 ／

下図は、最終製品Aの部品構成表であり、（　）内は親1個に対して必要な部品の個数である。製品Aを2個生産するとき、必要部品数量に関する記述として、最も適切なものを下記の解答群から選べ。

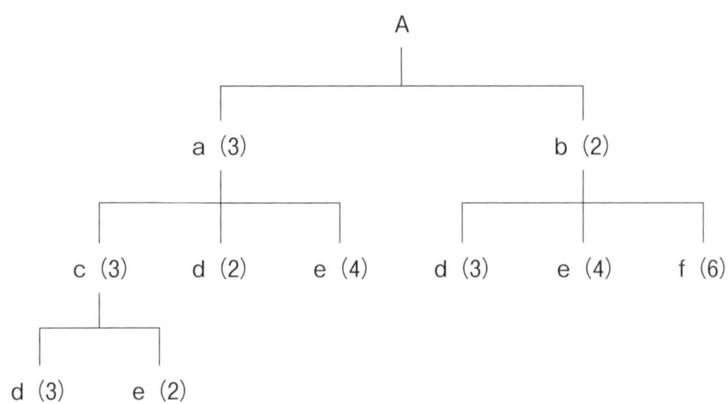

〔解答群〕

ア　部品cは9個必要である。

イ　部品dは78個必要である。

ウ　部品eは72個必要である。

エ　部品fは48個必要である。

解説

スピテキLink▶　1編2章6節2項

POINT 問題文にもあるとおり、(　) 内は親1個に対して必要な部品の個数であるので、それぞれの部品について下の階層から積を求めることで必要個数を算出することができる。「製品Aを2個生産する」ことに注意が必要である。

ア　×：部品ｃの必要個数は18個である。
部品cの必要個数＝３×３×２＝18(個)

イ　○：正しい。部品dの必要個数は78個である。
部品ｄの必要個数＝(３×３×３×２)＋(２×３×２)＋(３×２×２)＝78(個)

ウ　×：部品eの必要個数は76個である。
部品eの必要個数＝(２×３×３×２)＋(４×３×２)＋(４×２×２)＝76(個)

エ　×：部品ｆの必要個数は24個である。
部品ｆの必要個数＝６×２×２＝24(個)

正解 ▶ イ

問題37 在庫管理

1 ／ 2 ／ 3 ／

発注方式に関する記述として、最も適切なものはどれか。

ア 定量発注方式における発注点として、調達期間中の推定需要量を用いた。

イ 定量発注方式における経済的発注量（EOQ）は、「1回の発注費用」、「1期あたりの指定所要量」、「1個1期あたりの在庫保管費用」の計算要素が整えば算出することができる。

ウ 定期発注方式の発注量の算出式は「（発注間隔＋調達期間）中の推定需要量＋安全在庫量」である。

エ 定期発注方式を採用した場合、定期的な在庫調査のタイミングで必ず発注が行われる。

解説

スピテキLink▶ 1編2章7節2項

POINT 発注方式の中でも特に定量発注方式と定期発注方式は頻出であるため、理解して覚えておきたい。

ア ×：定量発注方式における発注点の算出式は、以下のとおりである。

発注点＝調達期間中の推定需要量＋安全在庫量

イ ○：正しい。経済的発注量は以下の式で求めることができる。

経済的発注量(Q)＝$\sqrt{2SR \div Pi}$
S：1回の発注費用
R：1期あたりの指定所要量
P：在庫品の単価
i：在庫保管費用率
※Piは1個1期の在庫保管費用を表す

ウ ×：定期発注方式における発注量の算出式は、以下のとおりである。

発注量＝(発注間隔＋調達期間) 中の推定需要量－発注残
　　　　－手持在庫量＋安全在庫量
発注残：発注済みだがまだ手元に届いていない在庫量
手持在庫量：現品が手元にある在庫量

エ ×：定期発注方式を採用した場合、選択肢ウの算出式で発注量を計算するが、予想消費量が少ない場合や、在庫量が多い場合には、計算した発注量がマイナスとなることがある。その場合には発注は行われない。

正解 ▶ イ

問題38 在庫管理

1 ／ 2 ／ 3 ／

発注方式に関する記述として、最も適切なものはどれか。

ア ある資材の最大在庫量を半分にした場合、消費量を一定とすると、安全在庫量も半分となる。

イ 定期発注方式を採用した場合、消費量を一定とすると、１回当たりの発注量は発注から納品までの調達期間が長くなるほど少なくなり、発注間隔を短くするほど多くなる。

ウ 定量発注方式を採用した場合、消費量を一定とすると、発注間隔も一定となる。

エ 定量発注方式を採用した場合、発注点は平均在庫量に安全在庫を加えて求める。

解説

スピテキLink▶　1編2章7節2項

安全在庫の式は覚えておきたい。

ア　×：安全在庫とは、欠品を起こさないために保有しておく在庫である。必要な安全在庫量は、下記の式によって決まる。

<定量発注方式>

安全在庫量＝安全係数×$\sqrt{調達期間}$×需要量の標準偏差

<定期発注方式>

安全在庫量＝安全係数×$\sqrt{発注間隔＋調達期間}$×需要量の標準偏差

安全係数：品切れ許容率によって決まる係数

消費量が一定ということは需要量の標準偏差が0ということであり、安全在庫量は最大在庫量にかかわらず0となる。したがって安全在庫は0のまま変化しない。

イ　×：定期発注方式とは、あらかじめ発注する時期を決めておき、発注の都度、現在の在庫量や需要量に応じて発注量を決める発注方式である。その発注量は、下記の式で求めることができる。

発注量＝(発注間隔＋調達期間) 中の推定需要量－発注残
　　　　－手持在庫量＋安全在庫量

したがって、調達期間と発注間隔のいずれが長くなっても予想消費量が増加するため、発注量は増加する。

ウ　○：正しい。定量発注方式とは、在庫量が設定された在庫量（発注点）まで減少したとき、あらかじめ決められた一定量を発注する方式である。発注量が一定である定量発注方式においては、発注間隔は消費量によって変動する。消費量が一定ならば、発注間隔も一定となる。

エ　×：定量発注方式における発注点は、調達期間中の推定需要量に安全在庫量を加えて求める。

正解 ▶ ウ

問題39 在庫管理

1 ／ 2 ／ 3 ／

在庫管理に関する用語の記述として、最も適切なものはどれか。

ア 有効在庫とは、手持在庫量から安全在庫量を差し引いた在庫量のことである。

イ 補充点とは、最大在庫量から現在の有効在庫を差し引いた在庫量のことである。

ウ 経済的発注量は、在庫保管費用と発注費用が等しくなる発注量である。

エ 在庫回転率は、一定期間における在庫の回転回数を表し、一定期間の所要量を発注量で除して求める。

オ ABC分析におけるＢ品目に対しては、ダブルビン方式を採用することが最適である。

解説

スピテキLink▶　1編2章7節2・3項

在庫に関する用語は発注とも関連するが、基本的な知識を整理しておけばよい。

ア　×：有効在庫とは、「手持在庫に加えて発注残及び引当済みの量(引当量)を考慮した、実質的に利用可能な在庫量」(JIS Z 8141-7307）のことである。

イ　×：補充点とは、「発注する際の発注量を定めるために、あらかじめ定められた在庫量」(JIS Z 8141-7317）のことである。最大在庫量に相当するもので、棚の容量などによって決められる。

ウ　○：正しい。経済的発注量とは、「定量発注方式において、一定期間の在庫関連費用を最小にする１回当たりの発注量」(JIS Z 8141-7313）のことである。一定期間の在庫関連費用を在庫保管費用と発注費用の和とすると、在庫保管費用と発注費用が等しくなるとき、最も費用が小さくなる。

エ　×：在庫回転率が、一定期間における在庫の回転回数を表すことは正しいが、一定期間の所要量を平均在庫量で除して求める。

オ　×：ABC分析は、「多くの在庫品目を取り扱うときそれを品目の取扱い金額又は量の大きい順に並べて、管理の重要度が高い品目から順にA、B、Cの３種類に区分し、重要度に沿った管理の仕方を決めるための分析」(JIS Z 8141-7302）のことである。一般にはＢ品目は、定量発注方式を採用するが、単価が高い品目については定期発注方式を用いる。ダブルビン方式は、重要性の低いＣ品目の発注に用いられる。

正解　▶ ウ

問題 40　在庫管理

1 ／ 2 ／ 3 ／

在庫に関連する用語の説明に関する記述として、最も適切なものはどれか。

ア　定量発注方式における安全在庫の設定の際は、品切れ許容度、需要のバラつきの程度、調達期間の長さを考慮する。

イ　死蔵在庫とは、長期間在庫しており今後の使用見込みはあるものの、その使用量が少なく、他に流用できるような在庫のことである。

ウ　エシェロン在庫とは、ある在庫点から見て、ものの流れにおける上流側の在庫点の在庫の総和を意味する。

エ　定期発注方式におけるサイクル在庫は、経済的発注量の２分の１とされる。

解説

スピテキLink▶　1編2章7節1・2項

在庫に関する概念や用語も出題可能性があるため、押さえておきたい。

ア　○：正しい。安全在庫とは、需要変動または補充期間の不確実性を吸収するために必要とされる在庫のことである。定量発注方式における安全在庫の設定の際は、品切れ許容度、需要のバラつきの程度、調達期間の長さを考慮する。

イ　×：本肢の内容は、眠り在庫の説明である。死蔵在庫とは、「過去から長期間使用されず、今後とも使用の見込みがなく、他に転用できない在庫」のことである。

ウ　×：エシェロン在庫とは、ある在庫点から見て、ものの流れにおける下流側の在庫点の在庫の総和のことである。メーカー→卸→小売というサプライチェーンがあるとして、卸から見たエシェロン在庫は、卸が保有する在庫、卸から小売に輸送中の在庫、小売が保有する在庫の総量となる。

エ　×：サイクル在庫とは、納入のタイミングから次の納入のタイミングまでの供給サイクルに保有する平均在庫のことである。定量発注方式におけるサイクル在庫は、経済的発注量の2分の1とされ、定期発注方式におけるサイクル在庫は、平均発注量の2分の1とされる。

正解 ▶ ア

問題41 外注管理

1 ／ 2 ／ 3 ／

外注に関する次の記述のうち、最も不適切なものはどれか。

ア　外注とは、自社が決定した仕様、納期などによって、外部企業に部品加工や組立を委託することをいう。

イ　一般的に、一定期間で限定的に外注を発注する場合、基本契約と個別契約に分けて契約することが多い。

ウ　自社で対応することが困難な専門技術を要する場合には、自社への技術導入コストが高ければ外注を利用する。

エ　需要動向の不確実性が高い場合には、まず外注を利用し、需要動向を見極めた上で再度内外製区分の検討を行うことが有効である。

解説

スピテキLink▶ 1編2章7節5項

POINT 外注の目的や用語について基本的な知識は整備しておきたい。

ア ○：正しい。外注とは、自社が決定した仕様、納期などによって、外部企業に部品加工や組立を委託することをいう。これと対比して確認したい用語は、購買である。購買とは、（他社が仕様を決定した）市販品を調達することを意味する。

イ ×：一般的に、長期間にわたる継続的な外注先とは、基本契約と個別契約に分けて契約することが多い。その場合、基本契約で取引条件など各種取引に共通する事項を基本合意し、個別の製品の仕様、価格、納期等は発注があるごとに個別契約を結ぶ形態をとることが多い。

ウ ○：正しい。生産を自社で行うか、他社に生産委託をするか、を決定することを内外製区分という。内外製区分の決定ポイントは、どちらで生産した方がQCDの面で有利になるか、自社の生産設備で生産可能か、外部の専門技術を活用するか、需要の不確実性が高いかどうか、といった点となる。

エ ○：正しい。選択肢ウの解説にもあるとおり、需要の不確実性が高い場合には、自社で本格的な生産に踏み出す前に、外注を利用することを検討することがある。外注を利用した場合にも、その後の需要動向や生産戦略を踏まえ、外注を継続するか、自社生産に切り替えるかを継続的に検討していくこととなる。

正解 ▶ イ

問題 42　IE（工程分析）

1 ／ 2 ／ 3 ／

工程分析に関する記述として、最も適切なものはどれか。

ア　作業者工程分析における工程分析図記号は、工程ごとに、加工、運搬、検査、停滞に分類される。

イ　工程図記号の「□」は、原料、材料、部品または製品の量または個数を測ることを表す。

ウ　製品工程分析は、主に作業手順や作業動作の改善を目的として行われる。

エ　流れ線図（フローダイヤグラム）は、多品種少量生産の職場における生産物の工程間移動を図表化したものである。

解説

スピテキLink▶　1編3章1節1項

POINT 工程分析とは、「生産対象物が製品になる過程、作業者の作業活動、及び運搬過程を、対象に適合した図記号で表して系統的に調査・分析する手法」（JIS Z 8141-5201）である。

ア ×：作業者工程分析における工程分析図記号は、「作業、移動、検査、手待ち」に分類される。「加工、運搬、検査、停滞」とされるのは、製品工程分析である。作業者工程分析は、作業者に焦点を当て「何をしているか」を分析するものである（例：作業者が作業をしている）。製品工程分析は、加工されている製品に焦点を当て「何をされているか」を分析するものである（例：製品が加工されている）。

イ ○：正しい。工程図記号の「□」は、数量検査を意味する。「◇」の、品質検査と判別できるようにしておきたい。図記号に関しては、記号の形状、名称を覚え、具体的な内容イメージを思い浮かべることができる状態が望ましい。

ウ ×：主に作業手順や作業動作の改善を目的として行われるのは、作業者工程分析である。製品工程分析の主な目的は、工程の順序や流れの改善などである。複数の作業者、機械を用いて生産を行う場合の工程改善は、一人の作業者の作業を分析するだけでは難しい。その場合、製品に焦点を当て、流れを追跡することとなる。

エ ×：多品種少量生産の職場における生産物の工程間移動を図表化したものは、フロムツーチャート（流出流入図）である。流れ線図（フローダイヤグラム）とは、設備や建屋の配置図に工程図記号を記入し線で結んだものをいい、各工程図記号の位置関係や順序を示す。製品工程分析の結果をレイアウト図に合わせて可視化することができる。

正解 ▶ イ

問題 43　IE（工程分析）

1 ／　2 ／　3 ／

ある生産現場の部品加工について、作業者工程分析を行った。次の分析内容のうち、「作業」に分類される数として、最も適切なものを下記の解答群から選べ。

<作業者の動き>

① 資材を加工機に乗せる。
② 資材を加工機にセットする。
③ 加工機を始動させる。
④ 加工機が稼働している間に、加工済みの製品の寸法を測る。
⑤ 加工が終了した製品を加工機から取り出す。
⑥ 製品を置き場まで運ぶ。

〔解答群〕

ア 3　**イ** 4　**ウ** 5　**エ** 6

解説

スピテキLink▶　1編3章1節1項

POINT

作業者工程分析とは、「作業者を中心に作業活動を系統的に工程図記号で表して調査・分析する手法」（JIS Z 8141-5203）である。

作業者工程分析では、作業者の作業を、作業、移動、手待ち、検査の4通りに分類して、分析を行う。

＜作業者の動き＞

① 資材を加工機に乗せる。→「作業」

② 資材を加工機にセットする。→「作業」

③ 加工機を始動させる。→「作業」

④ 加工機が稼働している間に、加工済みの製品の寸法を測る。→「検査」

⑤ 加工が終了した製品を加工機から取り出す。→「作業」

⑥ 製品を置き場まで運ぶ。→「移動」

よって、作業者の作業は4つである。

正解 ▶ イ

問題44 IE（方法研究） 1／ 2／ 3／

方法研究に関する記述として、最も適切なものはどれか。

ア　製品の加工工程を工程順に分析する際には、作業者工程分析や両手動作分析、サーブリッグ分析などを行うことが有効である。

イ　工程図記号の「◎」は、数量検査を主に行いながら加工も行う工程であることを表現するものである。

ウ　動作経済の原則に基づき、作業者の身体の運動部分を負荷のかかりやすい指先の動きから、腕全体の動きを要する作業に改善した。

エ　１人の作業者が担当する機械持ち台数を適正化するために、連合作業分析を行った。

解説

スピテキLink▶　1編3章1節1項

POINT テイラーの時間研究とギルブレスの動作研究が統合され、発展してきたのが今日の作業研究、すなわちIEである。そしてIEは方法研究と作業測定からなる。

ア　×：製品の加工工程を工程順に分析する際には、製品工程分析を行うことが有効である。作業者工程分析や両手動作分析、サーブリッグ分析などは、１人の作業者の動作を分析する際に有効であるが、製品は複数の作業者や自動機械設備などを経由して加工されるため、これらの分析では、製品の加工工程を工程順に分析することはできない。

イ　×：工程図記号の「○」は加工を意味し、「□」は数量検査を意味する。１つの工程で複数の作業要素を行う場合、工程図記号は複数の記号を重ねて表現する。これを複合記号と呼ぶ。複合記号は、外側に主となる要素工程の記号を記す。本肢の「◎」は、外側が加工、内側が数量検査の記号であるため、加工を主に行いながら数量検査も行うことを表現している。

ウ　×：動作経済の原則とは、作業者の動作のあり方についての法則であり、この原則に則った仕事は経済的である、とするものである。動作経済の原則は、１）身体部位の使用に関する原則、２）作業場の配置に関する原則、３）工具・設備の設計の原則に分類される。本肢の内容は、１）身体部位の使用に関する原則にあたるものであるが、動作経済の原則では「身体の運動部分をなるべく指や手などによる小さい動きで行う」としている。

エ　○：正しい。連合作業分析とは「人と機械、又は二人以上の人が協同して作業を行うとき、その協同作業の効率を高めるための分析手法」（JIS Z 8141-5212）のことである。人と機械の稼働率をそれぞれ高めるために、何台の機械を受け持つのが最適か、といった分析が可能となる。

正解 ▶ エ

問題45 IE（運搬活性分析）

1 ／ 2 ／ 3 ／

運搬活性分析に関する以下の文章の空欄A ～ Cの記述として、最も適切な組み合わせを下記の解答群から選べ。

運搬活性分析とは、活性の維持の観点から、品物の置き方や荷姿について分析・検討する方法である。そして、活性を5段階に分けて、活性示数を使って運搬状況を分析するものである。活性示数は、移動するための4つの手間のうち、［ A ］手間の数をいい、［ B ］の5段階で表され、活性示数は［ C ］ほどよいことになる。

〔解答群〕

ア　A：すでに省かれている　B：0～4　C：大きい
イ　A：すでに省かれている　B：1～5　C：大きい
ウ　A：まだ省かれていない　B：0～4　C：小さい
エ　A：まだ省かれていない　B：1～5　C：小さい

解説

スピテキLink▶　1編3章1節1項

運搬活性分析とは、運搬活性示数を用いて運搬の状況を分析するもので、対象品の置き方の適否を系統的に調べる方法である。

運搬活性分析とは、活性の維持の観点から、品物の置き方や荷姿について分析・検討する方法である。そして、活性を5段階に分けて、活性示数を使って運搬状況を分析するものである。活性示数は、移動するための4つの手間のうち、A：すでに省かれている 手間の数をいい、B：0～4 の5段階で表され、活性示数は C：大きい ほどよいことになる。

正解 ▶ ア

問題46 IE（動作研究）

1 ／ 2 ／ 3 ／

動作研究に関する次の記述のうち、最も適切なものはどれか。

ア 動作経済の原則とは、この原則に則った仕事は経済的であるという動作のあり方についての法則であり、温度や湿度、採光といった職場環境は対象ではない。

イ 微動作分析は、有用度により第一類から第三類までに分類され、そのうち価値を生む要素は第一類にだけ含まれ、「手を伸ばす」は価値を生まない。

ウ 作業者により作業時間がばらつくといった問題が発生しているときは、サーブリッグ分析を通じて作業方法をある程度標準化して動作レベルの改善を図ってから、両手動作分析に入る方が効果的である。

エ 連合作業分析によって人と機械を分析して機械の停止ロスを減少させる場合は、作業者の単独作業時間を増やす方法がとられる。

解説

スピテキLink▶ 1編3章1節1項

POINT 作業する人間の身体動作や目の動きを分析し、非効率な動作の排除、動作の組替えなどで改善を図るために動作研究が行われる。

ア ×：動作経済の原則のひとつに作業場の配置に関する原則があり、そのなかに、作業の性質に適した通風、温度、湿度、採光および照明を与えるという項目がある。動作経済の原則は１つひとつを覚える必要はなく、与えられた状態が経済的か否かを判断できればよい。

イ ○：正しい。サーブリッグ分析（微動作分析）では、あらゆる作業に共通する基本動作を18種類の動素に分解して、有用度によって第一類、第二類、第三類に分類して分析する。作業者が行うすべての動作が対象となる。なお、第一類は動作の基本となるもので、仕事そのものと物の取扱いからなる。価値を生む要素は第一類の「組み合わす」「使う」「分解する」のみである。第二類は動作を遅れさせる要素、第三類は仕事が進んでいない状態である。価値を生む要素の３つの動素は覚えておきたい。

ウ ×：サーブリッグ分析と両手動作分析の説明が逆である。両手動作分析を先に行う理由は、微動作レベルよりも大きな作業動作の問題にまず焦点をあてて作業の標準化等の改善をしてから、微動作レベルの改善に移ったほうがより高い効果が得られるからである。

エ ×：人ー機械分析において機械の停止ロスを減少させるには、作業者の単独作業時間を減らす方法がとられる。機械の停止ロスの原因は作業者が単独作業を行っていることにあり、作業者の手待ちは機械が自動運転中で手が空いてしまうことにある。双方の単独作業を削減することができれば相互にロスを削減することにつながる。

正解 ▶ イ

問題47　IE（動作研究）

1 ／ 2 ／ 3 ／

動作経済の原則に関する記述として、最も適切なものはどれか。

ア　工具を軽い材質に変更することは作業者の負担を減らすことにつながるが、動作経済の原則には含まれない。

イ　作業域は、支障のない範囲でせまく設定することが望ましい。

ウ　手の動きは、移動経路が最短になるようにできるだけ直線的に動かす。

エ　作業者が、その場から動かずに手を伸ばした時に手の届く範囲を正常作業域という。

オ　部品箱に入っているものを分かりやすく表示して、作業の効率化を図ることは、動作経済の原則に含まれる。

解説

スピテキLink▶　1編3章1節1項

POINT 動作経済の原則は、「作業者が作業を行うとき、最も合理的に作業を行うために適用される経験則」（JIS Z 8141-5207）と定義されている。

ア　×：動作経済の原則は、身体部位の使用に関する原則、作業場の配置に関する原則、工具・設備の設計の原則に分類でき、本肢は工具・設備の設計の原則に該当する。

イ　○：正しい。作業域が広いことは、作業動作、歩行を増やすなど、作業の能率を低下させるおそれがある。したがって、支障のない範囲でせまく設定することが望ましい。

ウ　×：作業者の身体部位の動きは「運動の方向を急に変更せずに、連続した曲線状の運動とする」ことが原則であり、移動経路が最短になるようにできるだけ直線的に動かすことは、動作経済の原則に則った動きとはいえない。

エ　×：作業者が、その場から動かずに手を伸ばした時に手の届く範囲は、最大作業域である。正常作業域とは、上腕を身体に近づけ、前腕を自然な状態で動かした範囲を指す。

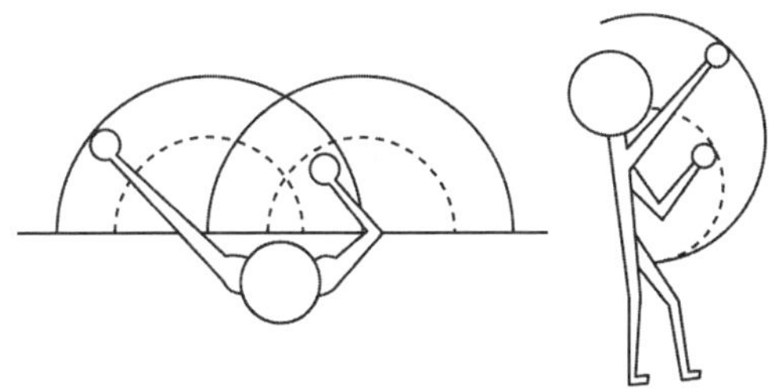

オ　×：選択肢アの解説にある3つの分類のいずれにも本肢の内容は該当しない。

正解 ▶ イ

問題48 IE（稼働分析）

1 ／ 2 ／ 3 ／

作業測定のうち稼働分析に関する記述として、最も適切なものはどれか。

ア 瞬間観測法はワークサンプリングともよばれ、作業者と機械の稼働状態の観測やデータ整理が容易で、非繰り返し作業に適した観測手法である。

イ 稼働分析の目的は稼働率の向上であり、稼働率は実際稼働時間に対する総時間の割合である。

ウ 準備段取作業は、作業の一部を構成し、ロットごと、始業の直後および終業の直前に発生する準備などにかかる作業時間をいう。

エ 連続観測法は、きめ細かな分析ができるもののコスト高であるという特徴があり、繰り返し作業などサイクルの短い作業の分析に適している。

オ 余裕は、作業余裕と人的余裕に分類でき、作業余裕は管理余裕と職場余裕に分類できる。

解説

スピテキLink▶　1編3章1節2項

POINT 稼働分析とは、「作業者又は機械設備の稼働率若しくは稼働内容の時間構成比率を求める手法」（JIS Z 8141-5209）である。

ア　×：ワークサンプリングは、繰り返し作業の観測に適しており、非繰り返し作業に適した観測手法は連続観測法である。ワークサンプリングは、データ整理が容易で、データの信頼性が高いというメリットがある。一方、深い分析には不向きで、サンプル数が少ないと誤差が大きくなるデメリットがある。

イ　×：分子と分母が逆である。

$$稼働率=\frac{実際稼働時間}{総時間}$$

ウ　○：正しい。作業は主体作業と準備段取作業に分類できる。準備段取作業は、次の仕事への準備作業というイメージをもっていればよい。

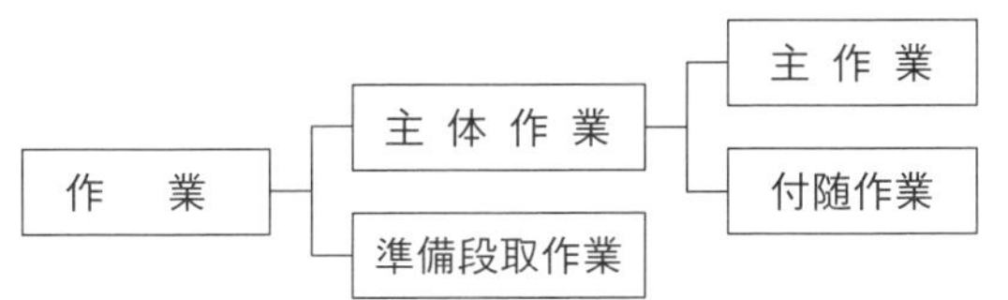

エ　×：連続観測法は、作業内容や稼働状態を連続的に観測するためきめ細かな分析ができることから、非繰り返し作業やサイクルの長い作業に適している。繰り返し作業などサイクルの短い作業の分析に適しているのはワークサンプリングである。

オ　×：余裕は、管理余裕と人的余裕に分類でき、管理余裕は作業余裕と職場余裕に分類できる。余裕についても体系づけて覚えるとよい。

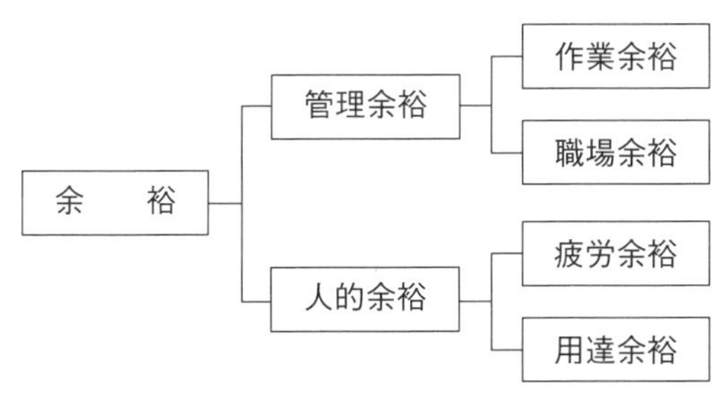

正解 ▶ ウ

問題 49 IE（稼働分析）

1 ／ 2 ／ 3 ／

機械設備を利用した金属加工職場で作業研究を実施した。発生事象の分類の仕方として、最も適切なものはどれか。

ア 繰り返し発生する材料や工具の取付け取外しを主作業に分類した。
イ 切削、穴あけ、ねじきり、プレスを付随作業に分類した。
ウ 機械調整、機械への注油、切粉の不定期処理を作業余裕に分類した。
エ 機械設備のスタンバイ、ためし加工を職場余裕に分類した。

解説

スピテキLink▶　1編3章1節2項

POINT 稼働分析における作業分類は、どの作業がどの分類に属するか、大まかなイメージをもっておきたい。

ア　×：繰り返し発生する材料や工具の取付け・取外しは、付随作業に分類される。仕事の直接的な目的である材料、部品の変形、変質など、対象の変化そのものに直接的に寄与している作業を主作業という。付随作業は、この主作業に付随して規則的に発生し、材料の取付け・取外しなど、仕事の目的に対し間接的に寄与する作業を指す。

イ　×：切削、穴あけ、ねじきり、プレスなど、いわゆる付加価値を高めている作業の部分は主作業に分類される。

ウ　○：正しい。機械調整、機械への注油、切粉の不定期処理は作業余裕に分類される。作業余裕は、作業をするうえで不規則、偶発的に発生する作業要素であるため正味時間に入れることのできない作業と、その作業特有の避けることのできない作業の中断に対して与えられる余裕を指す。

エ　×：機械設備のスタンバイ、ためし加工は準備段取作業に分類される。準備段取作業は、主体作業を行うために必要な準備、段取、作業終了後の後始末、運搬などの作業を指す。主体作業を行うために図面、伝票、材料、治工具等を用意することや、治具、工具、材料を機械に取付け・取外し、それらのための運搬、機械設備のスタンバイやためし加工などが準備段取作業にあてはまる。職場余裕は、本来の作業とは無関係に発生する職場に特有な遅れに対する余裕である。同じ職場の作業者なら同じように影響される性質をもち、朝礼や打合せなどがあてはまる。

正解 ▶ ウ

問題50　IE（時間研究）

1 ／ 2 ／ 3 ／

標準時間の設定に関する記述として、最も適切なものの組み合わせを下記の解答群から選べ。

a　余裕時間は、作業を遂行するために必要と認められる遅れの時間である。

b　正味時間は、主体作業、準備段取作業を遂行するために直接必要な時間であり、余裕時間を含めて算出する。

c　内掛け法で余裕率を算出する場合は、標準時間に占める余裕時間の割合として算出する。

d　PTS法では、レイティングは不要であり、余裕時間を考慮しなくてよい。

〔解答群〕

ア　aとb　**イ**　aとc　**ウ**　aとd　**エ**　bとc　**オ**　cとd

解説

スピテキLink▶ 1編3章1節2項

標準時間に関連した用語の定義は押さえておきたい。

a ○：正しい。余裕時間は、対象業務において不規則・偶発的に発生し、「作業を遂行するために必要と認められる遅れの時間」(JIS Z 8141-5504) のことである。

b ×：正味時間には、余裕時間は含めず算出する。前半の内容は正しい。正味時間は、「主体作業、及び準備段取作業を遂行するために直接必要な時間」(JIS Z 8141-5503) と定義される。

c ○：正しい。内掛け法と外掛け法の余裕率の計算式は以下のとおりである。

$$\text{内掛け法：余裕率} = \frac{\text{余裕時間}}{\text{余裕時間} + \text{正味時間（＝標準時間）}}$$

$$\text{外掛け法：余裕率} = \frac{\text{余裕時間}}{\text{正味時間}}$$

d ×：PTS法 (Predetermined Time Standard System：既定時間法) は、「人間の作業を、それを構成する基本動作にまで分解し、その基本動作の性質と条件に応じて、あらかじめ決められた基本となる時間値から、その作業時間を見積もる方法」(JIS Z 8141-5205) である。基本動作レベルでは作業者の個人差がなく、一定の時間値が求められるという考え方に基づいているため、レイティングを必要としない。一方、PTS法で算出されるのは (余裕時間を含まない) 作業時間であるため、標準時間を算出するにあたり、余裕時間を含める必要がある。

正解 ▶ イ

問題 51 IE（時間研究）

1 ／ 2 ／ 3 ／

標準時間を求めるときに次の資料を得た。標準時間の計算式として最も適切なものを下記の解答群から選べ。

<資料>

観測時間の代表値（秒）：A

レイティング係数：B × 100

内掛け法による余裕率（%）：C

〔解答群〕

ア $A \times \frac{B}{100} \times \left(1 + \frac{C}{100}\right)$

イ $A \times B \times (1 - C)$

ウ $A \times B \times \left(\frac{1}{1 - \frac{C}{100}}\right)$

エ $A \times B \times 100 \times \left(\frac{1}{1 - C}\right)$

オ $A \times \frac{B}{100} \div C$

解説

スピテキLink▶　1編3章1節2項

POINT ストップウォッチ法は頻出の論点であり、その中でも「レイティング」と「余裕率」はよく出題されている。

まずは、問題条件を確認する。

<資料>
観測時間の代表値（秒）：A
レイティング係数：B ×100
内掛け法による余裕率（%）：C

本問では、内掛け法の余裕率が与えられているため、内掛け法の標準時間の計算式を選択する。内掛け法における標準時間の計算式は以下のとおりである。

$$標準時間（内掛け法）＝正味時間\times\frac{1}{1-余裕率}$$

ただし、上式は余裕率を小数で表したときの計算式である。本問では、余裕率が百分率（パーセント）で与えられていることに注意しなければならない。余裕率を、百分率で表記した場合の標準時間の計算式は以下のとおりである。

$$標準時間（内掛け法）＝正味時間\times\left(\frac{1}{1-\frac{余裕率}{100}}\right)$$

$$＝正味時間\times\left(\frac{1}{1-\frac{C}{100}}\right)\cdots ①$$

正味時間＝観測時間の代表値×レイティング係数÷100＝A×B … ②

②を①に代入すれば、$標準時間＝A\times B\times\left(\frac{1}{1-\frac{C}{100}}\right)$ となる。

正解 ▶ ウ

問題52 IE（時間研究）

1／ 2／ 3／

ある要素作業の標準時間を設定するために、ワークサンプリングやストップウォッチ法によってデータの収集を行った。以下の資料は、収集したデータを集計したものである。当該作業の標準時間設定に関わる内容として最も適切なものを下記の解答群から選べ。

〔資料〕

・作業者が要素作業に要した時間の平均値（異常値を除く） 4分
・観測者が設定したレイティング係数 120
・ワークサンプリングによるサンプル数
　主作業：24　付随作業：8　作業余裕：6　疲労余裕：2

〔解答群〕

ア 観測対象とした作業者の作業速度は、正常な作業速度と比較して速いと判断された。

イ 設定された標準時間は8分である。

ウ 標準時間を算出する際に用いる余裕率は、内掛け法と外掛け法があり、〔資料〕から算出される標準時間の値は、どちらを採用するかによって異なる。

エ 観測対象となった要素作業は、非繰り返し作業であったと考えられる。

解説

スピテキLink▶　1編3章1節2項

POINT　ストップウォッチ法の、標準時間の計算手順は押さえておきたい。

ア　○：正しい。観測対象者の作業速度を正常な作業速度と比較する際には、レイティング係数を用いる。レイティング係数は、観測対象者の作業速度が速いと100より大きくなる。与えられたレイティング係数は120のため、観測対象者の作業速度は速いと判断された、と考えられる。

イ　×：ストップウォッチ法により標準時間を算出する際には、観測時間にレイティング係数を加味した正味時間に修正した後、余裕率を用いて標準時間とする。

正味時間＝観測時間４分×レイティング係数120＝4.8分

となる。

なお、余裕率はワークサンプリングの結果に基づき、主体作業に対して余裕がどの程度の割合あるか、をもとに計算する。内掛け法と外掛け法の計算方法がある。

標準時間＝正味時間4.8分÷（１－余裕率0.2）＝６分（内掛け法）

内掛け法の余裕率＝余裕時間÷（余裕時間＋正味時間）

＝（６＋２）÷（（６＋２）＋（24＋８））＝0.2

また、外掛け法による正味時間の計算方法は以下のとおりである。

標準時間＝正味時間4.8分×（１＋余裕率0.25）＝６分（外掛け法）

外掛け法の余裕率＝余裕時間÷（正味時間）

＝（６＋２）÷（24＋８）＝0.25

本肢の正誤判断を行うためには、作業分類の判断やレイティング係数、余裕率を用いた計算を要するため、他の選択肢と比較して時間もかかる上にミスも起こりやすい。他の選択肢を優先して正誤判断し、必要に応じて後で計算してみるという手順を踏みたい。

ウ　×：選択肢イの解説のとおり、内掛け法で計算しても、外掛け法で計算しても、標準時間は同値となる。

エ　×：作業の分類や稼働、非稼働を分析するワークサンプリング法や、観測者の実際所要時間から標準時間を算出するストップウォッチ法は、同様の作業を規則的に繰り返す、繰り返し作業の分析に適した手法である。非繰り返し作業とは、個別生産などで異なる製品を生産するため、同じ作業を繰り返すことがないものを指す。同じ作業を繰り返さない対象者を観測しても以降の作業に有効な資料とはならない。

正解 ▶ ア

Memo

問題53 IE（時間研究）

1 ／ 2 ／ 3 ／

ストップウォッチ法による標準時間の算出を行うために、以下のデータを収集した。標準時間の値として最も適切なものを下記の解答群から選べ（単位：秒）。

<データ>

観測時間の代表値：100秒

レイティング係数：125

ワークサンプリングの主体作業の回数：1,000

ワークサンプリングの余裕の回数：200

〔解答群〕

ア 100　**イ** 125　**ウ** 150　**エ** 165　**オ** 180

解説

スピテキLink▶ 1編3章1節2項

レイティングとは、観測によって得られた時間を、正常な作業者が正常な速度で行うのに要する時間に修正することである。

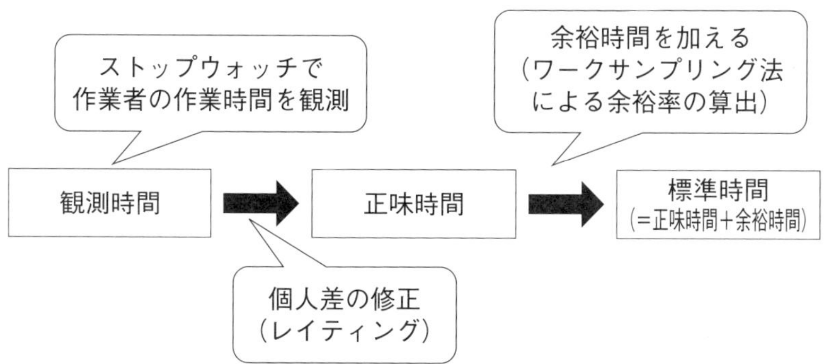

正味時間＝観測時間×レイティング係数÷100
＝100秒×125÷100＝125秒

本問では、余裕率は内掛け法、外掛け法のいずれを用いても標準時間を算出することができる。以下は、双方の算出方法を示す。

＜内掛け法＞

$$余裕率=\frac{余裕}{主体作業+余裕}$$

$$=\frac{200}{1,000+200}$$

$$=\frac{1}{6}\ (\fallingdotseq 16.7\%)$$

$$標準時間=正味時間\times\frac{1}{1-余裕率}$$

$$=125\times\frac{1}{1-\frac{1}{6}}$$

$$=150(秒)$$

<外掛け法>

$$余裕率＝\frac{余裕}{主体作業}$$

$$＝\frac{200}{1,000}$$

＝0.2（＝20％）

標準時間＝正味時間×（1＋余裕率）

＝125×（1＋0.2）

＝150（秒）

正解 ▶ ウ

Memo

問題54 HACCP

1 ／ 2 ／ 3 ／

食品衛生管理方法であるHACCP（Hazard Analysis and Critical Control Point）の手順に関する用語とその内容に関する記述の組み合わせとして、最も適切なものを下記の解答群から選べ。

<用語>

① HA（Hazard Analysis）
② CCP（Critical Control Point）
③ CL（Critical Limit）

<内容>

a 逸脱すると製品の安全性が確保できなくなる値（パラメーター）の基準のこと

b 一連の工程に潜んでいる危害要因を列挙し、それらに対する管理手段を一つずつ分析すること

c 食品の安全性に対する危害要因を防止または排除、もしくは許容できるレベルにまで低減するために管理が適用され、かつ必須であるステップのこと

〔解答群〕

ア ①とa　**イ** ①とb　**ウ** ②とa　**エ** ③とb　**オ** ③とc

解説

スピテキLink▶　1編3章2節3項

「HA」「CCP」「CL」の3つの用語は覚えておきたい。

用語の意味は、次のとおりである。

① HA（危害要因分析）

一連の工程に潜んでいる危害要因を列挙し、それらに対する管理手段を一つずつ分析すること（内容b）。

② CCP（重要管理点）

食品の安全性に対する危害要因を防止または排除、もしくは許容できるレベルにまで低減するために管理が適用され、かつ必須であるステップのこと（内容c）。

③ CL（管理基準）

CCPのコントロールで、逸脱すると製品の安全性が確保できなくなる値（パラメーター）の基準のこと（内容a）。

よって、①とbの組み合わせが適切である。

正解 ▶ イ

問題55 品質管理（QC７つ道具）

1 ／ 2 ／ 3 ／

QC７つ道具の分析手法に関する次の記述のうち、最も適切なものはどれか。

ア　パレート図は、最も重要な問題点に的を絞って問題解決にあたる重点指向の考え方を実践するための手法である。

イ　管理図は、発生した不良の種類や不良項目などの出現頻度の大きさを把握し、不良ごとに累積した合計値から累積比率を容易に把握できるようにするための手法である。

ウ　特性要因図は、連続した量や数値として測定できるデータを時系列的に並べ、そのバラツキや安定性を調べるために使用される。

エ　散布図とは、母集団をいくつかの層に分割するために使用する図のことであり、通常は他のツールと併用される。

オ　ヒストグラムは、いくつかの特性の相関関係を把握し、相関関係や偽相関の有無などを分析する。

解説

スピテキLink▶　1編3章2節1項

QC7つ道具については手法の名称と内容をセットで覚えておきたい。

ア　○：正しい。重点指向の考え方を実践するための手法としてはパレート図があげられる。

イ　×：本肢の記述はパレート図の説明である。パレート図は、不良の種類や不良項目の大きい順に棒グラフで並べて、その累積和を示し、累積比率を把握することが容易にできる。

ウ　×：本肢の記述は管理図の説明である。管理図は、工程が安定した状態にあるかどうかを調べるために用いる。データが管理限界内に入っているかどうかによって、避けられない偶然の変動と対応が必要な異常値を判別する。特性要因図は、因果関係を視覚的に図示する手法であり、「魚の骨」ともよばれている。

エ　×：本肢の記述は層別の説明である。層別は、通常、他のツールと併用して使用する場合がほとんどである。具体的には、パレート図、ヒストグラム、散布図、管理図などの分析を行う前に、母集団を分類するために行われる。散布図は、「機械の回転スピード」と「不良率」など、2つの特性の相関関係を解析するために使用するツールである。機械の回転スピードを速めるほど、不良率が低下するのであれば、両者は負の相関関係があるといえる。

オ　×：本肢の記述は散布図の説明である。ヒストグラムは、データの分布状況を把握するために用いる図で、データの範囲を適当な間隔に分割し、データを集計した度数分布表を棒グラフ化したものである。

正解 ▶ ア

問題 56　品質管理（QC７つ道具）

1／　2／　3／

QC７つ道具に関する以下の説明と名称の組み合わせとして、最も適切なものを下記の解答群から選べ。

【説明】

① 出現頻度の大きさの順に並べるとともに、累積和を示し、累積比率を折れ線グラフで示した図

② ある結果をもたらす一連の原因を階層的に整理した図

③ ２つの特性の相関を解析するのに用いる図

④ データの分布状態を把握するための図

【名称】

a 散布図

b 特性要因図

c パレート図

d ヒストグラム

〔解答群〕

ア ①とa　　**イ** ②とc　　**ウ** ③とb　　**エ** ④とd

スピテキLink ▶　1編3章2節1項

QC 7つ道具は、データを分析し、事実の中にある重要な情報を浮かび上がらせる、品質管理手法である。

① 出現頻度の大きさの順に並べるとともに、累積和を示し、累積比率を折れ線グラフで示した図 → パレート図（名称ｃ）

② ある結果をもたらす一連の原因を階層的に整理した図 → 特性要因図（名称ｂ）

③ ２つの特性の相関を解析するのに用いる図 → 散布図（名称ａ）

④ データの分布状態を把握するための図 → ヒストグラム（名称ｄ）

正解 ▶ エ

問題57　品質管理（管理図）

1 ／ 2 ／ 3 ／

QC７つ道具のひとつである管理図に関する記述として、最も適切なものはどれか。

ア　計数値データを管理対象とした場合、正規分布に従って管理限界線を設定する。

イ　データが管理限界線内に収まっていれば、工程に異常はないものと判断することができる。

ウ　c管理図は、サンプルに生起した不適合数を用いて工程を管理する管理図である。

エ　np管理図は、群の標準偏差を用いて工程の分散を評価する管理図である。

解説

スピテキLink▶　1編3章2節1項

管理図には、以下のような種類がある。

データ	管理図の種類	管理の対象	統計分布
計量値（長さ、温度、重さなどの連続したデータ）	$\bar{x}$－R管理図	平均値と範囲	正規分布
	x管理図	個々の測定値	
	s管理図	群（データの集まり）の標準偏差	
計数値（事故数、不良品数などの不連続なデータ）	p管理図	不適合品率	二項分布
	np管理図	不適合品数（※）	
	u管理図	単位あたりの不適合数	ポアソン分布
	c管理図	不適合数（※）	

※不適合品数とは不良品数と考えてよい。不適合数とは、たとえば不良原因の場合、キズ、色落ちなどの数である。1つの不適合品に複数の不適合が存在する場合があるため、両者は必ずしも一致するものではない。

ア　×：計量値データを管理対象とした場合、正規分布に従って管理限界線を設定する。計数値データを管理対象とした場合は、二項分布やポアソン分布に従って管理限界線を設定する。

イ　×：データが管理限界線内に収まっていても、9つの連続したデータが中心線に対して同じ側にある、6つの連続したデータが増加または減少しているなど、いわゆるデータの「くせ」がある場合は、工程の異常や投入資源のバラツキが発生している可能性がある、と判断することがある。

ウ　○：正しい。上記表のとおりである。

エ　×：np管理図は、不適合品数を用いて工程を評価するための管理図である。群の標準偏差を用いて工程の分散を評価する管理図はs管理図である。

正解 ▶ ウ

問題58　新QC７つ道具

1 ／ 2 ／ 3 ／

新QC７つ道具に関する記述として、最も適切なものはどれか。

ア　製品開発にあたり「顧客ニーズの要因が複雑で把握ができない」という悩みを抱えている場合、系統図法により定性的な嗜好を定量的なデータに置き換えて分析することができる。

イ　得意先から大量注文する代わりに大幅な値引きを要請されることが想定される場合、PDPC法により行き当たりばったりの交渉ではなくシナリオを描いて交渉に臨むことができる。

ウ「現場で発生しているトラブルにはどのような傾向があるのか」という問いについて作業者が明確な答えを出せない場合、アローダイヤグラムを活用するのが効果的である。

エ「製品品種切り替え時における洗浄などの段取り時間が非常に長い」という問題について、その原因を追究する場合、マトリックスデータ解析法を活用するのが効果的である。

解説

スピテキLink▶ 1編3章2節2項

新QC７つ道具は、各ツールの名称とその内容が一致するようにしておきたい。

ア ×：定性的な嗜好等を定量的なデータに置き換えることができるのは、マトリックスデータ解析法である。マトリックスデータ解析法とは、アンケート等のデータを分析する多変量解析のひとつである「主成分分析」のことである。市場調査やアンケートで得たデータ要素が１つや２つであればグラフ化することで分析できるが、要素が３つ以上になりサンプル数も多くなると分析が困難となる。このようなときに多変量解析が行われる。数学的な知識が必要となるが、実務上はPC・解析ソフトが使用されることが多い。食品であれば、味、形状、香り、ボリューム感、しっとり、濃厚等の項目のアンケート結果を数値化し、複雑な要素が絡み合っている味覚の好みを分析することが可能となる。

イ ○：正しい。PDPC法では、考えられる手順を記載し、次の行動をつねに考えるため、次に何をするのかが一目瞭然となる（次ページの図参照）。

できるだけ交渉を有利にするため、事前に必要な資料（たとえば、他社製品のコスト、性能、機能の一覧表）等を準備しておけば、行き詰ったときの打開策となる。最終的に社長判断が必要と予想される場合は、事前に社長と相談しておけば交渉を進展させやすい。このように複数のシナリオを描いて交渉に臨むときなどにはPDPC法が効果的となる。

ウ ×：観察もしくは感じた現象を集めて構造的に整理することでその背景に潜んでいる本質を明らかにする場合、親和図法を活用するのが効果的である。親和図法では取り組むテーマを明確にした後、付箋や模造紙を準備し、メンバーがテーマについての意見を記入していく。意見の似ているもの同士を模造紙の上で整理し、グループごとにラベルを作成する。グループの類似性からラベルを作成することにより短時間で意見の整理が可能となり、現象の本質を見抜くことが可能となる。

エ ×：ある問題についてその原因を追究する場合には、連関図法が効果的である。問題解決型の連関図法であれば、問題を起点にして「なぜなぜ分析」を行うことになる。「製品品種切り替え時における洗浄などの段取時間が非常に長い」のであれば、「①設備機器の分解に手間がかかる」や「②洗浄・消毒機器の調整に時間がかかる」ということが考えられる。①に対してはさらに「重量があり作業性が悪い」や「作業標準書が整備されていない」が考えられる。②に対しては「微調整すべき箇所が多い」や「調整用の工具を探すのに時間がかかる」が考えられる。このようにして1次要因→2次要因→3次要因→4次要因……と深く探っていくことで、問題や課題の真因に近づくことが可能となる。

【PDPC図】

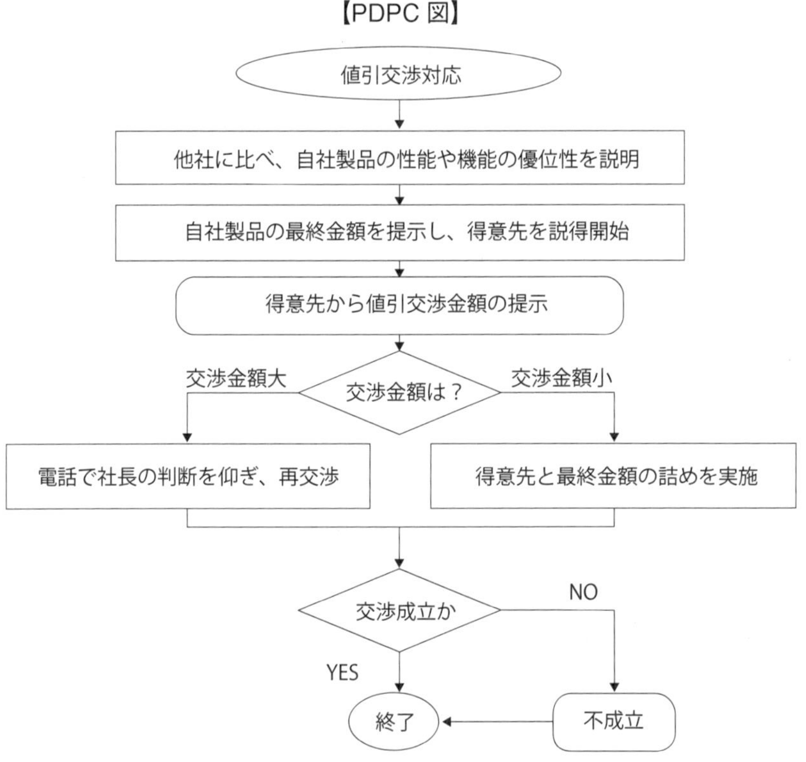

正解 ▶ イ

Memo

3章

問題59　設備保全

1／　2／　3／

設備保全に関する記述として、最も適切なものはどれか。

ア　保全予防は、定期保全と予知保全に分類できる。

イ　予知保全は、予定の時間間隔で行う予防保全である。

ウ　集中保全とは、閑散期や大型連休などのタイミングで多くの設備に保全を施す方式である。

エ　改良保全は、故障が起こりにくい設備への改善、または性能向上を目的とした保全活動である。

解説

スピテキLink▶ 1編3章3節1項

POINT 保全活動に関する各用語の関係性と、それぞれの意味合いについての理解が求められる。

生産保全の分類は下図のようになっている。

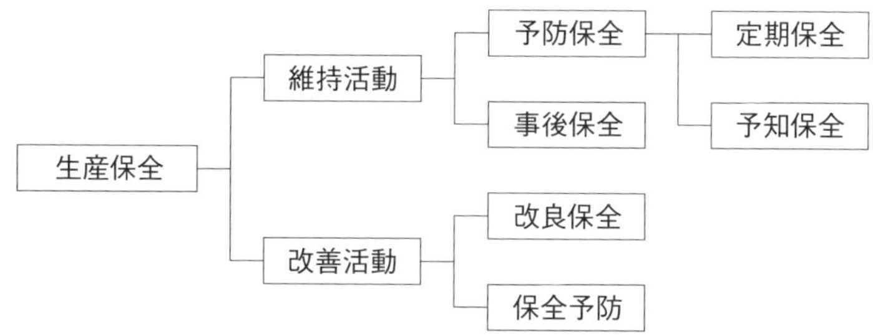

ア ×：予防保全は、定期保全と予知保全に分類できる。

イ ×：本肢の内容は、予知保全の対語である定期保全の定義（JIS Z 8141-6208）である。予知保全は「設備の劣化傾向を設備診断技術などによって管理し、故障に至る前の最適な時期に最善の対策を行う予防保全の方法」（JIS Z 8141-6209）のことである。

ウ ×：集中保全とは、「設備保全の業務を専門とする保全部門を置き、集中して設備保全の活動を実施する活動」（JIS Z 8141-6211）のことである。

エ ○：正しい。改良保全の定義（JIS Z 8141-6206）どおりである。改善活動は、既存設備の改良を行う「改良保全」と、新設備に対する保全となる「保全予防」の2つに分かれる。

正解 ▶ エ

問題 60　設備保全

1 ／　2 ／　3 ／

保全活動および設備寿命曲線（バスタブ曲線）に関する記述として、最も適切なものはどれか。

ア　現在稼働中の機械設備の一部を耐用性が高い部品に交換する行為は保全予防といえる。

イ　初期故障期への保全対応として定期保全を行うことが望ましい。

ウ　偶発故障期への保全対応として予知保全を行うことが望ましい。

エ　摩耗故障期への保全対応として改良保全を行うことが望ましい。

解説

スピテキLink▶ 1編3章3節1項

設備寿命曲線における各期に行う適切な保全活動の種類は理解しておきたい。

ア ×：現在稼働中の機械設備の一部を耐用性が高い部品に交換する行為は改良保全といえる。改良保全とは、既存の設備について耐久性の高い部品を用いて改造、更新することなどを指す。一方、保全予防は新設備を導入する際に設計や製作段階から保全負担を減らすような取り組みを行うことをいう。

イ ×：初期故障期への保全対応として予知保全を行うことが望ましい。初期故障期は、設備の初期不良などにより故障が多く発生する時期である。この時期には定期的な保全よりも、設備をよく観察し、故障が発生する前の良いタイミングで保全を行う予知保全を行うことが望ましい。また、選択肢アで触れた改良保全や保全予防も初期不良等の対策として有効である。

ウ ×：偶発故障期への保全対応として事後保全を行うことが望ましい。偶発故障期は、故障の発生が偶発的かつ低頻度な時期であり、保全費用を低減する優先度が高いため、事後保全で対応する。

エ ○：正しい。摩耗故障期は、部品の経年劣化などにより故障が多く発生する時期であるため、耐久性を増すような改良保全を行うことが望ましい。

正解 ▶ エ

問題61 TPM

1 ／ 2 ／ 3 ／

TPM（Total Productive Maintenance）に関する記述の正誤の組み合わせとして、最も適切なものを下記の解答群から選べ。

a 生産部門と独立して保全部門を強化することが故障の未然防止につながる。

b 保全の技術・技能を高め、設備のMTTRをより短く、またMTBFをなるべく長くするような活動を進めることにより、故障ゼロ、不良ゼロを目指す。

c 「災害ゼロ・不良ゼロ・故障ゼロ」などあらゆるロスを未然防止する仕組みを現場・現物で構築する取り組みである。

d 生産部門をはじめ、開発、営業、管理などのあらゆる部門にわたって、トップから第一線従業員に至るまで全員が参加する生産保全の活動である。

〔解答群〕

ア a：正　b：正　c：誤　d：誤
イ a：正　b：誤　c：正　d：正
ウ a：正　b：誤　c：正　d：誤
エ a：誤　b：正　c：正　d：正
オ a：誤　b：正　c：誤　d：誤

解説

スピテキLink▶　1編3章3節1項

TPMは、全員参加の生産保全（PM：Productive Maintenance）のことである。

TPMは、以下のとおり定義される。

① 生産システム効率化の極限追及（総合的効率化）をする企業体質づくりを目標にして、
② 生産システムのライフサイクル全体を対象とした“災害ゼロ・不良ゼロ・故障ゼロ”などあらゆるロスを未然防止する仕組みを現場・現物で構築し、
③ 生産部門をはじめ、開発、営業、管理などのあらゆる部門にわたって、
④ トップから第一線従業員に至るまで全員が参加し、
⑤ 重複小集団活動により、ロス・ゼロを達成すること

a ×：TPMでは、日常保全（掃除・給油・増し締め・点検など）はオペレーターが担当し、設備の検査（診断）や修理は保全部門が担当する。したがって、保全部門のみの強化を推進しているわけではない。

b ○：正しい。MTBF（Mean Operating Time Between Failures、平均故障間動作時間）は、次に故障するまでの動作時間の平均値を表し、期間中の総動作時間÷総故障数で求める。MTBFが大きいほど信頼性が高い。MTTR（Mean Time To Restoration、平均修復時間）は、故障した設備を運用可能状態へ修復するために必要な時間の平均値を表し、期間中の総修復時間÷総修復数で求める。MTTRが小さいほど保全性が高い。

c ○：正しい。解説文冒頭の定義の②に該当する。

d ○：正しい。解説文冒頭の定義の③④に該当する。

正解 ▶ エ

問題62　設備総合効率

1 ／　2 ／　3 ／

設備総合効率の算出に必要なデータの組み合わせとして、最も適切なものはどれか。

ア　加工数量、基準サイクルタイム、良品数量
イ　加工数量、基準サイクルタイム、稼働時間
ウ　基準サイクルタイム、負荷時間、良品数量
エ　加工数量、負荷時間、良品数量
オ　加工数量、稼働時間、良品数量

解説

スピテキLink▶ 1編3章3節2項

設備総合効率は、「設備の使用効率の度合を表す指標」（JIS Z 8141-6501）と定義されている。

設備総合効率＝時間稼働率×性能稼働率×良品率

時間稼働率：操業時間（設備の負荷時間）に対してどれだけ設備が稼働しているかを示す。

$$\text{時間稼働率}=\frac{\text{稼働時間（＝負荷時間－停止時間）}}{\text{負荷時間}}\times 100\ (\%)$$

性能稼働率：設備の基準生産量に対し実際にどれだけ生産を行っているかを示す。

$$\text{性能稼働率}=\frac{\text{基準サイクルタイム}\times\text{加工数量}}{\text{稼動時間}}\times 100\ (\%)$$

良　品　率：生産量全体に対する良品の比率を示す。

$$\text{良品率}=\frac{\text{良品数量（＝加工数量－不良数量）}}{\text{加工数量}}\times 100\ (\%)$$

上記の計算式は、以下のようにまとめることができる。

設備総合効率＝時間稼働率×性能稼働率×良品率

$$=\frac{\cancel{\text{稼動時間}}}{\text{負荷時間}}\times\frac{\text{基準サイクルタイム}\times\cancel{\text{加工数量}}}{\cancel{\text{稼動時間}}}\times\frac{\text{良品数量}}{\cancel{\text{加工数量}}}$$

$$=\frac{\text{基準サイクルタイム}\times\text{良品数量}}{\text{負荷時間}}$$

以上より、設備総合効率の算出には、基準サイクルタイム、負荷時間、良品数量のデータが必要となる。

正解 ▶ ウ

問題63 設備総合効率

1 ／ 2 ／ 3 ／

以下はある加工機械の稼働に関する情報である。これらを基に算出できる設備総合効率の値として、最も適切なものを下記の解答群から選べ。

稼働に関する情報	値
負荷時間	1,000 時間
稼働時間	900 時間
基準サイクルタイム	3 分／個
加工数量	20,000 個
不適合品数量	4,000 個

〔解答群〕

ア 0.48　**イ** 0.54　**ウ** 0.64　**エ** 0.80　**オ** 0.84

解説

スピテキLink ▶ 1編3章3節2項

POINT 設備総合効率は、当該設備の負荷時間のうち、付加価値を創出している時間がどれだけ占めているかを表す指標である。

設備総合効率＝時間稼働率×性能稼働率×良品率

$$=\frac{\text{稼働時間}}{\text{負荷時間}}\times\frac{\text{基準サイクルタイム}\times\text{加工数量}}{\text{稼働時間}}\times\frac{\text{良品数量}}{\text{加工数量}}$$

$$=\frac{\text{基準サイクルタイム}\times\text{良品数量}}{\text{負荷時間}}$$

本問の条件を上式に代入する。

$$\text{設備総合効率}=\frac{3\ (\text{分}/\text{個})\times(20{,}000-4{,}000)(\text{個})}{1{,}000(\text{時間})\times 60(\text{分}/\text{時間})}$$

$$=0.80$$

正解 ▶ エ

問題 64　設備の信頼性

1 ／ 2 ／ 3 ／

初期導入された設備を500時間利用したときの稼働および故障修復について、下図のような調査結果を得た。この設備の①MTBF（平均故障間動作時間）、②アベイラビリティ（可用性）として、最も適切なものの組み合わせを下記の解答群から選べ。なお、計算結果に端数が生じた場合は、小数点第１位を四捨五入すること。

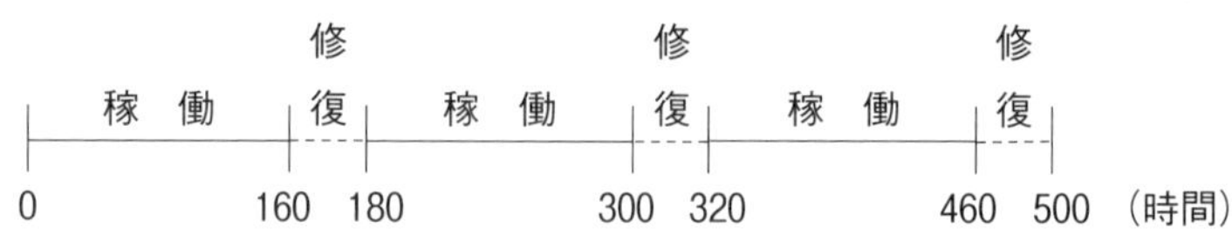

〔解答群〕

ア　①：140　②：0.84

イ　①：140　②：0.86

ウ　①：27　②：0.84

エ　①：27　②：0.86

解説

スピテキLink▶ 1編3章3節2項

POINT MTBF、MTTR、アベイラビリティの用語の意味と計算式は押さえておきたい。

・MTBF（平均故障間動作時間）

MTBFとは、故障設備が修復されてから、次に故障するまでの動作時間の平均値を表す。

$$\text{MTBF（平均故障間動作時間）}=\frac{\text{総動作時間}}{\text{総故障数}}$$

・MTTR（平均修復時間）

MTTRとは、故障した設備を運用可能状態へ修復するために必要な時間の平均値を表す。

$$\text{MTTR（平均修復時間）}=\frac{\text{総修復時間}}{\text{総修復数}}$$

・アベイラビリティ（可用性）

アベイラビリティは信頼性指標であるMTBFと保全性指標であるMTTRを使って次のように求められる。

$$\text{アベイラビリティ（可用性）}=\frac{\text{MTBF}}{\text{MTBF}+\text{MTTR}}$$

本問のMTBFは、以下のとおりに算出する。

$$\text{MTBF}=\frac{160+120+140}{3}=\frac{420}{3}=140$$

本問のMTTRは、以下のとおりに算出する。

$$\text{MTTR}=\frac{20+20+40}{3}=\frac{80}{3}=26.6\cdots\fallingdotseq 27$$

本問のアベイラビリティは、以下のとおりに算出する。

$$\text{アベイラビリティ}=\frac{\frac{420}{3}}{\frac{420}{3}+\frac{80}{3}}=0.84$$

正解 ▶ ア

問題 65 コンカレントエンジニアリング

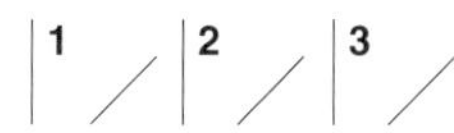

コンカレントエンジニアリングに関する記述として、最も適切なものはどれか。

ア コンカレントエンジニアリングは、プロダクトライフサイクルの各段階を順に追った、ウォーターフォール型の開発手法である。

イ コンカレントエンジニアリングの主な目的は、製造設備の自動化の進展や工場の無人化の実現である。

ウ コンカレントエンジニアリングの実現により、CADデータなどに基づく製品管理情報システム（PDM）の導入が促進される効果が期待される。

エ コンカレントエンジニアリングの実現により、各部門間の情報共有が促進され、開発リードタイム短縮のみならず、生産リードタイム短縮にもつながる。

解説

スピテキLink▶ 1編4章1節2項

コンカレントエンジニアリングは「製品設計、製造、販売などの統合化、同時進行化を行うための方法」（JIS Z 8141-3113）と定義されている。

ア ×：コンカレントエンジニアリングは、むしろウォーターフォール型の開発からの脱却を目的とした開発手法といえる。一般的に製品開発においては、概念設計→製品設計→工程設計→製造→販売→保守→廃棄といったように、プロダクトライフサイクルの各段階を順に追ったウォーターフォール型のプロセスをとることが多かった。しかし、このような開発プロセスでは、製品開発のリードタイムの短縮が図れない、工程の完了後に不具合が見つかった場合に手戻りロスが発生するといった問題が不可避であった。そこで、上記の問題を解決して開発・生産効率を向上させるために考案された製品開発手法が、コンカレントエンジニアリングという位置づけになる。

イ ×：コンカレントエンジニアリングは、上記のJISによる定義にもあるように「製品設計、製造、販売などの統合化、同時進行化を行うための方法」であり、それによる生産プロセス全体にわたるコスト抑制等が主な目的となる。製造設備の自動化や工場の無人化それ自体が直接の目的となるわけではない。

ウ ×：CADデータなどに基づく製品管理情報システム（PDM）の導入は、コンカレントエンジニアリングを実現するために必要な前提条件であり、コンカレントエンジニアリングによる期待効果とはいえない。むしろ、PDMの導入により技術情報の共有化が促進され、コンカレントエンジニアリングの実現につながるという選択肢の記述とは逆の因果関係となる。

エ ○：正しい。狭義のコンカレントエンジニアリングでは、CAD、CAE、PDMなどのシステムを通じて設計データの共有を行い、デザインと構造解析、強度計算などを同時並行で作業することで開発期間の短縮を目指す。さらに、開発段階から「DFA（Design For Assembly：組立を考慮した設計）」や「DFM（Design For Manufacturing：製造を考慮した設計）」を行うことで、組立やその他の製造過程において能率が向上し、生産リードタイムの短縮につながる。

正解 ▶ エ

問題66 生産情報システム

1／ 2／ 3／

コンピュータを用いた生産支援システムに関する名称と説明について、最も適切な組み合わせを以下の解答群から選べ。

【名称】

a　CAM　　b　FMS　　c　PDM

【説明】

①　製品情報と開発プロセスを一元的に管理するシステムで、CEの実現に貢献する

②　複数の生産設備をコンピュータで統括的に制御・管理し、類似製品の混合生産などを実現する

③　コンピュータを用いて、生産に必要な各種情報を生成する

〔解答群〕

ア　aと①　　**イ**　bと①　　**ウ**　bと②　　**エ**　cと②　　**オ**　cと③

解説

スピテキLink▶　1編4章1節2項

生産情報システムに関する問題である。本問にある3つのシステムは以下のとおりである。

a　CAM：コンピュータ支援生産（Computer-Aided Manufacturing）とよばれる「コンピュータ内部に表現されたモデルに基づいて生産に必要な各種情報を生成すること、およびそれに基づいて進める生産の方式」（JIS B 3401-0103）のことである。CADで描いたデザインをCAMで生産指示情報として自動生産機械に入力する連携システムをCAD/CAMとよぶ（説明③に該当）。

b　FMS：柔構造生産システム（Flexible Manufacturing System）とよばれる、生産設備の全体をコンピュータで統括的に制御・管理することによって、類似製品の混合生産、生産内容の変更などが可能な生産システムである（説明②に該当）。

c　PDM：生産情報管理システム（Product Data Management）とよばれる、CADデータを含めた製品情報と開発プロセスを一元的に管理するシステムである。生産の複数にわたる工程の情報が一元化されるため、工程間の情報共有による並行進行（コンカレントエンジニアリング（CE））の実現に貢献するものである（説明①に該当）。

正解 ▶ ウ

問題67 生産情報システム

1／ 2／ 3／

マシニングセンタに関する記述として、最も適切なものはどれか。

ア 工具と工作物との相対運動を、位置、速度などの数値情報によって制御し、加工にかかわる一連の動作をプログラムした指令によって実行する工作機械である。

イ 主として回転工具を使用し、フライス削り、中ぐり、穴あけおよび、ねじ立てを含む複数の切削加工ができ、かつ、加工プログラムにしたがって工具を自動交換できる数値制御工作機械である。

ウ 工場における生産機能の構成要素である生産設備と生産行為とを、コンピュータを利用する情報処理システムの支援のもとに統合化した工場の総合的な自動化である。

エ 生産設備の全体をコンピュータで統括的に制御・管理することによって、混合生産、生産内容の変更などが可能な生産システムである。

オ 数値制御機械に、ストッカ、自動供給装置、着脱装置などを備え、複数の種類の製品を製造できる機械である。

解説

スピテキLink▶ 1編4章1節2項

POINT 1950年代にNC工作機械の開発により本格化した製造設備の自動化は、マシニングセンタやコンピュータ内蔵のCNC（Computer Numerical Control）、DNC（Distributed Numerical Control）、FMC、FMSを経て、工場全体の自動化（FA化）へと発展している。

ア ×：本肢はNC（Numerical Control）工作機械の説明である。NCとは数値制御のことで、工作物に対する工具経路、加工に必要な作業の工程などを、それに対応する数値情報で指令する制御のことである。その工作機械をNC工作機械とよび、NC旋盤やNCボール盤などがある。

イ ○：正しい。マシニングセンタとは多数の工具を工具保持用マガジンに装備し、加工情報に応じて必要な工具を選び、その工具をATC（Automatic Tool Changer：自動工具交換装置）により１回の段取作業により、旋削、穴あけ、平面加工など、多数の異なる種類の作業を自動的に行う、数値制御多機能工作機のことである。

ウ ×：本肢はFA（Factory Automation）の説明である。FMSはあくまで生産のためのシステムだが、これに資材調達や設計データの管理や受け渡し、あるいは工場で発生する間接業務までも対象にした自動化、システム化のことをFAという。

エ ×：本肢はFMS（Flexible Manufacturing System：柔構造製造システム）の説明である。生産設備の全体をコンピュータで統括的に制御・管理することによって、類似製品の混合生産、生産内容の変更などが可能な生産システムである。顧客ニーズの多様化などに対応して、多品種少量生産を効率的に行うために発達した柔軟性（フレキシビリティ）の高い生産システムである。

オ ×：本肢はFMC（Flexible Manufacturing Cell：フレキシブル加工セル）の説明である。NC工作機械や産業用ロボットなど個々の工程・作業を行う機械を組み合わせたものである。工程のひとまとまりをカバーする。

正解 ▶ イ

第２編
店舗・販売管理

問題68　まちづくり三法

1 ／　2 ／　3 ／

「まちづくり三法」に関する記述として、最も不適切なものはどれか。

ア　都市計画法では、社会福祉施設、医療施設、学校の建築の開発行為について、開発許可を必要としている。

イ　大規模小売店舗立地法は、店舗面積が1,000平方メートル超の小売業を行う店舗を対象としており、具体的な調整項目は、交通渋滞、駐車・駐輪、騒音、廃棄物等、周辺地域の生活環境に関する項目である。

ウ　中心市街地活性化体制の充実のために、都道府県および市町村は共同で、中心市街地ごとに中心市街地活性化協議会を組織することが求められている。

エ　都市計画法により、床面積１万平方メートル超の大規模集客施設の郊外への出店は原則禁止となっている。

解説

スピテキLink▶　2編1章1節1～4項

まちづくり三法は、大規模小売店舗立地法、中心市街地活性化法、都市計画法の3つの法律の総称である。

ア　○：正しい。公共公益機関においても、無秩序な都市機能の拡散化を防止し、都市機能を集約したコンパクトなまちづくりへの転換と中心市街地のさらなる活性化を意識した立地が求められる。

イ　○：正しい。大規模小売店舗立地法は、周辺地域の生活環境の保持を目的とし、調整項目は、交通渋滞、駐車・駐輪、騒音、廃棄物などに関する項目である。旧法（大店法）では店舗面積、開店日、閉店時刻、休業日数を調整項目としていた。なお店舗面積については、1,000平方メートル以上ではなく1,000平方メートル超であるので注意してほしい。

ウ　×：中心市街地活性化協議会は、都道府県および市町村ではなく、中心市街地整備推進機構および商工会議所等が組織しているため誤りである。中心市街地活性化法では多様な関係者の参画を得て取組みを推進していくため、中心市街地ごとに中心市街地整備推進機構および商工会議所等は共同で中心市街地活性化協議会を組織し、構成員、運営等に関する規定を設けることとなっている。

エ　○：正しい。本肢の記述のとおりである。

正解　▶ウ

問題69 大規模小売店舗立地法

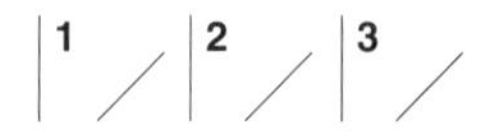

大規模小売店舗立地法に関する記述として、最も適切なものはどれか。

ア 都道府県は、大規模小売店舗の設置者が勧告にしたがわない場合、その旨を公表することができ、従わない者への罰則規定がある。

イ この法律の対象は、店舗面積が500㎡を超える小売業を営む店舗である。

ウ この法律の対象には、飲食店業を営む店舗は含まれる。

エ 大規模小売店舗の設置者は、地元住民の意見を聴取するための協議会を設置しなければならない。

オ 駐車場または駐輪場の収容台数を増加させる場合、変更前の届出は不要である。

解説

スピテキLink▶　2編1章1節2項

旧法である大規模小売店舗法（大店法）との違いが頻出である。

ア　×：大店立地法の第9条では、都道府県は勧告した場合において当該勧告に係る届出をした者が、正当な理由がなく当該勧告にしたがわなかったときはその旨を公表できるとされている。しかし、従わない者に対する罰則規定はない。なお、同法第9条に関して罰則規定があるのは、都道府県から勧告を受けた者が、当該勧告を踏まえ必要な変更に係る届出をする場合において、虚偽の届出をした場合である。

イ　×：大規模小売店舗立地法の対象は、店舗面積が1,000㎡を超える小売業を営む店舗である。

ウ　×：大規模小売店舗立地法の対象には、飲食店は含まれない。

エ　×：大店立地法の第7条では、大規模小売店舗の所在地に属する市町村内において、店舗の新設にかかわる内容を周知させるための説明会を開催することが定められているが、協議会を設置することが義務付けられていないため、誤りである。なお大店法（旧法）においては、地元の商工会議所に協議会を設置し、大規模店舗の設置に際して地元との調整が図られるよう定められていた。

オ　○：正しい。駐車場または駐輪場の収容台数を指針に定められている以上に整備するなど、直近に届け出た台数以上に駐車スペースを用意することについては交通対策への配慮を更に図ることであることから届出不要としている。

正解 ▶ オ

問題70 大規模小売店舗立地法

1 ／ 2 ／ 3 ／

大規模小売店舗立地法に関する記述として、最も不適切なものはどれか。

ア 店舗面積には、階段、事務室、屋上などは含まれない。

イ 小売業に飲食店業は含まないが、物品加工修理業は含まれる。

ウ 大規模小売店舗で営業を行う個々の小売業者にも届出の義務を課している。

エ 駐輪場の位置および収容台数を届出事項としている。

オ 大規模小売店舗を設置する者が配慮すべき事項の一つに、街並みづくり等への配慮がある。

解説

スピテキLink▶　2編1章1節2項

大規模小売店舗法においては、大規模小売店舗で小売業を営む者が届出義務を負うこととなっていたが、大規模小売店舗立地法においては、大規模小売店舗を設置する者が届出義務を負うこととしている。

ア　○：正しい。同法の適用対象を判断する店舗面積に、階段、事務室、屋上は含まれない。店舗面積に含まれないのは、小売行為に直接関係しない部分である。

イ　○：正しい。同法が適用対象とする小売店に、農協や物品加工修理業は含まれるが、飲食店は含まれない。

ウ　×：旧法である大店法においては、大規模小売店舗で小売業を営む者が届出義務を負うこととなっていたが、同法においては、ディベロッパーなどの大規模小売店舗を設置する者が届出義務を負うこととしている。

エ　○：正しい。届出事項には、駐輪場の位置及び収容台数、駐車場の位置及び収容台数、廃棄物等の保管施設の位置および容量などがある。

オ　○：正しい。同法は、「騒音の発生その他による大規模小売店舗の周辺地域の生活環境の悪化の防止のために配慮すべき事項」があり、具体的には以下のようなものを定めている。

・騒音の発生に関する事項
・廃棄物等に関する事項
・街並みづくり等への配慮

正解　▶ ウ

問題 71 中心市街地活性化法

1 ／ 2 ／ 3 ／

中心市街地活性化法に関する記述として、最も適切なものはどれか。

ア 中心市街地活性化法は、都市の健全な発展と秩序ある整備を図り、もって国土の均衡ある発展と公共の福祉の増進に寄与することを目的としている。

イ 市町村が作成した中心市街地活性化基本計画が内閣総理大臣による認定を受けた場合に、各種支援を受けることができる。

ウ 中心市街地活性化本部は内閣に設置され、作成された中心市街地活性化基本計画に対して個別に意見を申し出ることとなっている。

エ 中心市街地活性化協議会は各都道府県に設けられ、認定を受けた中心市街地活性化基本計画の運用に際して、助言や人的資源の支援を行う機関である。

解説

スピテキLink▶ 2編1章1節3項

POINT まちづくり三法は当初、大規模小売店出店の統制と中心市街地活性化の両立を目的として制定されたが、郊外の大型店舗の出店が活発化する一方で、古くからある中心市街地の商店街は集客できずに衰退し、高齢者や交通弱者の負担が高まるなどの問題が深刻化してしまった。こうした問題に対応するため、「中心市街地活性化法」と「都市計画法」が平成18年に改正された。本問は中心市街地活性化法に関する問題である。

ア ×：本肢の内容は、都市計画法の目的である。中心市街地活性化法は、「都市機能の増進および経済活力の向上を総合的かつ一体的に推進する」ことや「地域の振興および秩序ある整備を図り、国民生活の向上および国民経済の健全な発展に寄与する」ことを目的としている。

イ ○：正しい。市町村は国が定める基本方針に沿った、それぞれの中心市街地の状況や特徴を考慮した中心市街地活性化基本計画を作成する。認定を行うのは内閣総理大臣であり、認定後は国から各種支援を受けることができる。

ウ ×：市町村が中心市街地活性化基本計画を作成する際に聴かなければならないのは、中心市街地活性化協議会の意見である（中心市街地活性化協議会が組織されていない場合には、当該市町村の区域をその地区とする商工会または商工会議所の意見となる）。なお、中心市街地活性化本部が内閣に設置されていることは正しい。

エ ×：中心市街地活性化協議会は中心市街地ごとに設置され、商工会・商工会議所や中心市街地整備推進機構、まちづくり会社などから構成されている。選択肢ウの解説にあるとおり、市町村が作成する中心市街地活性化基本計画に対して意見の申し出を行う。

正解 ▶ イ

問題72　都市計画法

1 ／ 2 ／ 3 ／

都市計画法および建築基準法による用途地域に関する記述として、最も適切なものはどれか。

ア　商業地域には、20,000㎡のスーパーマーケットを出店することができる。

イ　準住居地域には、15,000㎡の店舗を出店することができる。

ウ　第一種住居地域には、5,000㎡のボーリング場を出店することができる。

エ　田園住居地域には、800㎡の農産物直売所を出店することができる。

解説

スピテキLink▶ 2編1章1節4項

POINT 都市計画における規制を行う法令は、都市計画法と建築基準法があり、都市計画法によって都市計画や土地利用などの規制対象となった地域は、建築基準法によって建築物の仕様・建築可能地域の具体的制限などを受けることになる。

ア ○：正しい。商業地域には、延べ床面積1万㎡超の大規模集客施設の出店が可能であり、20,000㎡のスーパーマーケットを出店することができる。

イ ×：準住居地域には、10,000㎡以下の店舗の出店が可能である。

ウ ×：第一種住居地域には、3,000㎡以下のボーリング場を出店することができる。

エ ×：田園住居地域には、2階以下かつ床面積の合計が150㎡以下の一定の店舗、飲食店が出店可能である。ただし、農家レストラン、農産物直売所など一定の用途に限り500㎡以下まで出店が可能である。

正解 ▶ ア

問題73 都市計画法

1 ／ 2 ／ 3 ／

都市計画法に関する記述として、最も適切なものはどれか。

ア 第一種低層住居専用地域には、1,000㎡の病院が建築可能である。
イ 第一種住居専用地域には、5,000㎡の飲食店が建築可能である。
ウ 準住居地域には、15,000㎡の小売店が建築可能である。
エ 近隣商業地域には、20,000㎡の劇場が建築可能である。
オ 白地地域には、30,000㎡の観覧場が建築可能である。

解説

スピテキLink▶ 2編1章1節4項

POINT 都市計画法で定める用途地域には、それぞれ建てることのできる建物の用途が定められている。押さえるべきポイントは、延べ床面積1万平方メートル超の大規模集客施設（大規模小売店舗に加えて、広域的に都市構造に影響を及ぼす飲食店・劇場、映画館、演芸場、観覧場、遊技場、展示場、場外馬券売場等を幅広く含む施設）が立地できる用途地域が商業地域、近隣商業地域、準工業地域の3つに限定されていることである。

ア ×：第一種低層住居専用地域には、延べ床面積の大小に限らず病院は建築できない。また、第一種低層住居専用地域は、住居以外にも小・中・高等学校、老人ホームなどは建築可能であるが、商業に関わる施設は原則建築不可能と考えてよい。

イ ×：第一種住居専用地域には、3,000㎡以下の飲食店が建築可能であり、5,000㎡の飲食店は建築できない。

ウ ×：準住居地域には、10,000㎡以下の小売店が建築可能であり、15,000㎡の小売店は建築できない。

エ ○：正しい。近隣商業地域には、20,000㎡の劇場が建築可能である。延べ床面積10,000㎡超の大規模集客施設が建築可能なのは、商業地域、近隣商業地域、準工業地域の3つに限定されている。なお、地方都市（三大都市圏と政令指定都市を除く）では、準工業地域における大規模集客施設の立地を抑制することが中心市街地活性化基本計画の認定を受けるための要件となっている。

オ ×：白地地域には、10,000㎡以下の観覧場が建築可能であり、30,000㎡の観覧場は建築できない。

正解 ▶ エ

問題 74 立地適正化計画

1 ／ 2 ／ 3 ／

都市再生特別措置法における立地適正化計画に関する記述として、最も適切なものはどれか。

ア 原則的に、市街化区域全体を立地適正化計画の区域に設定することが基本となる。

イ 居住誘導区域は、人口減少の中にあっても一定エリアにおいて人口密度を維持することにより、生活サービスやコミュニティが持続的に確保されるよう居住を誘導すべき区域であり、都市機能誘導区域内に定める。

ウ 都市機能誘導区域は、医療・福祉・商業等の都市機能を都市の中心拠点や生活拠点に誘導し集約することにより、これらの各種サービスの効率的な提供を図る区域であり、居住誘導区域内に定める。

エ 誘導施設とは、都市機能誘導区域ごとに、立地を誘導すべき都市機能増進施設であり、都市機能誘導区域への設置が推奨される。

オ 居住調整地域は、住宅地化を抑制するために定める地域地区であり、市街化調整区域内に定める。

解説

スピテキLink▶　2編1章1節5項

都市計画法で定める区域と立地適正化計画で定める区域の対応関係は覚えておきたい。

ア　×：立地適正化計画の区域は、都市計画区域内でなければならないが、都市全体を見渡す観点から、都市計画区域全体を立地適正化計画の区域とすることが基本となる。また、１つの市町村内に複数の都市計画区域がある場合には、全ての都市計画区域を対象として立地適正化計画を作成することが基本となる。

イ　×：居住誘導区域は、人口減少の中にあっても一定エリアにおいて人口密度を維持することにより、生活サービスやコミュニティが持続的に確保されるよう、居住を誘導すべき区域であり、市街化区域内等の中に定める。

ウ　○：正しい。都市機能誘導区域は、都市機能の充足による居住誘導区域への居住の誘導、人口密度の維持による都市機能の持続性の向上等、住宅及び都市機能の立地の適正化を効果的に図るという観点から、居住誘導区域と都市機能誘導区域の双方を定めるとともに、原則として、居住誘導区域の中に都市機能誘導区域を設定することとなる。

エ　×：誘導施設とは、都市機能誘導区域ごとに、立地を誘導すべき都市機能増進施設であり、誘導施設が無い場合には、都市機能誘導区域は設定できない。

オ　×：居住調整地域は住宅地化を抑制するために定める地域地区であり、市街化調整区域には定めることができない。

正解 ▶ ウ

問題 75 商圏分析（ライリー＆コンバースの法則） 1 ／ 2 ／ 3 ／

Ａ市とＢ市との２つの市の商圏分岐点を求めたい。

下図で示す条件が与えられたとき、ライリー＆コンバースの法則を用いて、Ａ市から見た商圏分岐点との距離を求める場合、最も適切なものを下記の解答群から選べ。

Ａ市	Ａ市とＢ市の距離：15km	Ｂ市
・人口：６万人		・人口：24万人

〔解答群〕

ア　3 km

イ　4 km

ウ　5 km

エ　6 km

オ　7 km

解説

スピテキLink▶　2編1章2節1項

POINT ライリー＆コンバースの法則はコンバースが考えたもので、ライリーの法則を使って、2つの都市の商圏分岐点を算出する。商圏分岐点とは、2つの都市が購買力を同量ずつ吸引し合う地点のことである。

商圏分岐点は、次のように表される。

$$D_a = \frac{D_{ab}}{1 + \sqrt{\frac{P_b}{P_a}}} \quad \text{あるいは} \quad D_b = \frac{D_{ab}}{1 + \sqrt{\frac{P_a}{P_b}}}$$

D_a ：都市Aと商圏分岐点の距離
D_b ：都市Bと商圏分岐点間の距離
D_{ab}：都市Aと都市B間の距離
P_a ：都市Aの人口
P_b ：都市Bの人口

本問を解く際、A市からの距離かB市からの距離のどちらを求められているかに注意しなければならない。本問ではA市からの距離を求められているので、下記の計算式で求める。

$$\text{A市と商圏分岐点の距離} = \frac{15}{1 + \sqrt{\frac{24}{6}}} = \frac{15}{3} = 5\ (\text{km})$$

正解 ▶ ウ

問題76　商圏分析（ライリーの法則）

1 ／ 2 ／ 3 ／

Ａ市とＢ市の間に位置するＣ市について分析を行いたい。Ａ市からＣ市までの距離は12km、Ｂ市からＣ市までの距離は８kmである。

下記の条件が与えられたとき、ライリーの法則を用いて、Ａ市とＢ市がＣ市から吸引する販売額の割合として、最も適切なものを下記の解答群から選べ。

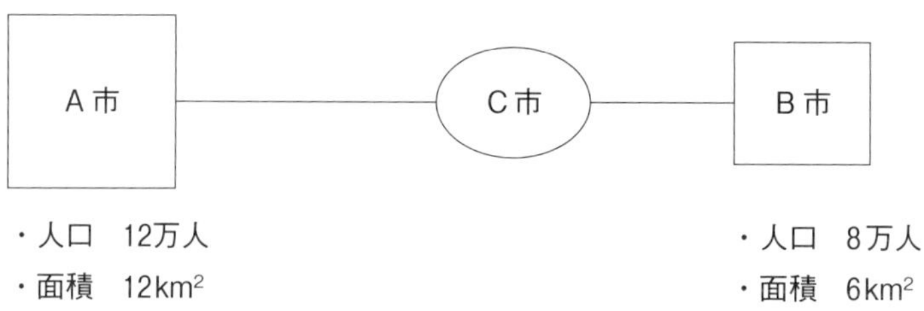

・人口　12万人
・面積　12km²

・人口　８万人
・面積　６km²

〔解答群〕

ア　Ａ：Ｂ＝１：２
イ　Ａ：Ｂ＝２：３
ウ　Ａ：Ｂ＝２：１
エ　Ａ：Ｂ＝３：２
オ　Ａ：Ｂ＝３：１

解説

スピテキLink▶ 2編1章2節1項

ライリーの法則とは、「2つの都市がその間にある都市から販売額（顧客）を吸引する割合は、その2つの都市の人口に比例し、距離の2乗に反比例する」というものである。

ライリーの法則の計算式は、以下のとおりである。

B_a：都市Aに吸収される販売額の割合

B_b：都市Bに吸収される販売額の割合

P_a：都市Aの人口

P_b：都市Bの人口

D_a：都市Aとの距離

D_b：都市Bとの距離

$$\frac{B_a}{B_b}=\frac{P_a}{P_b}\times\left(\frac{D_b}{D_a}\right)^2$$

本問の与えられた数値を上式に代入し、計算すると以下のようになる。

$$\frac{B_a}{B_b}=\frac{12}{8}\times\left(\frac{8}{12}\right)^2$$

$$\frac{B_a}{B_b}=\frac{3}{2}\times\frac{4}{9}$$

$$\frac{B_a}{B_b}=\frac{2}{3}$$

なお、条件にある面積は本問に使用しない。

正解 ▶ イ

問題 77　商圏分析（ハフモデル）

1 ／ 2 ／ 3 ／

ある地域に住む消費者Xが、ある店舗に買い物に出かける確率を検討する。その地域には店舗A、店舗B、店舗Cの3店舗のみが存在すると仮定し、消費者Xが店舗Aに買い物に出かける確率を計算したい。下図の通り店舗面積と各店舗までの距離が与えられたとき、修正ハフモデルを用いて上記の確率を求める場合、最も適切なものを下記の解答群から選べ。なお、店舗の魅力度については売場面積を使用し、距離の抵抗係数を2とする。

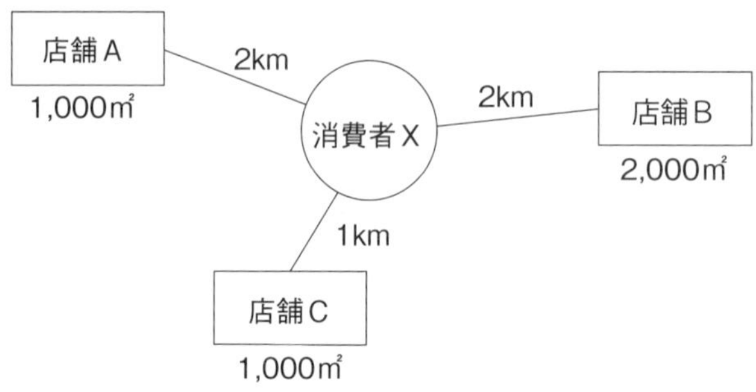

〔解答群〕

ア $\frac{1}{7}$　**イ** $\frac{2}{7}$　**ウ** $\frac{3}{7}$　**エ** $\frac{4}{7}$　**オ** $\frac{5}{7}$

解説

スピテキLink▶　2編1章2節1項

修正ハフモデルとは、ある商圏内において、消費者がある店舗に買い物に出かける確率（吸引率）を算出するモデルである。

商圏分析モデルの１つである修正ハフモデルに関する問題である。ある商圏内において、消費者がある店舗に買い物に出かける確率（吸引率）を算出するモデルであり、計算式は以下のとおりである。

店舗Ａの吸引率

$$=\frac{\dfrac{\text{店舗Aの売場面積}}{\text{居住地と店舗Aの距離}^{\lambda}}}{\dfrac{\text{店舗Aの売場面積}}{\text{居住地と店舗Aの距離}^{\lambda}}+\dfrac{\text{店舗Bの売場面積}}{\text{居住地と店舗Bの距離}^{\lambda}}+\cdots+\dfrac{\text{店舗nの売場面積}}{\text{居住地と店舗nの距離}^{\lambda}}}$$

λ：距離の抵抗係数

※修正ハフモデルでは、距離の抵抗係数を２として計算する。

本問の与えられた数値を上式に代入し、計算すると以下のようになる。

$$\text{店舗Aの吸引率}=\frac{\dfrac{1{,}000}{2{,}000^2}}{\dfrac{1{,}000}{2{,}000^2}+\dfrac{2{,}000}{2{,}000^2}+\dfrac{1{,}000}{1{,}000^2}}$$

$$=\frac{\dfrac{1}{4{,}000}}{\dfrac{1}{4{,}000}+\dfrac{1}{2{,}000}+\dfrac{1}{1{,}000}}$$

$$=\frac{\dfrac{1}{4{,}000}}{\dfrac{7}{4{,}000}}$$

$$=\frac{1}{7}$$

正解 ▶ ア

問題78 ショッピングセンター

1 ／ 2 ／ 3 ／

わが国のショッピングセンター（SC）の現況について、一般社団法人日本ショッピングセンター協会が公表している「全国のSC数・概況」（2023年末時点で営業中のSC）から確認できる記述として、最も適切なものはどれか。

ア　1核SC の中で最も数が多いキーテナントはディスカウントストアである。

イ　1SC当たりの平均テナント数は約200 店舗である。

ウ　1SC当たりの平均店舗面積は約5万m^2である。

エ　ビルの形態別SC 数で最も多い形態は商業ビルである。

オ　2018年と2023年の業種別テナント数の割合を比較すると、サービス店の割合は減少し、物販店の割合は増加している。

解説

スピテキLink▶　2編1章3節1項

POINT キーテナントとは、当該SCの商圏・客層を決定する大きな影響力を持つ大型小売店舗のことである。1核SCとは、キーテナント数が1店舗のSCのことであり、キーテナントが複数存在するSCもある。

ア　×：1核SC の中で最も数が多いキーテナントは総合スーパーである。

イ　×：1SC 当たりの平均テナント数は53店舗である。

ウ　×：1SC当たりの平均店舗面積は約1.7万m^2である。

エ　○：正しい。ビルの形態別SC数では、商業ビルが大半を占める（約8割）。

オ　×：2018年と2023年の業種別テナント数の割合を比較すると、物販店の割合は減少し、サービス店の割合は増加している。

正解 ▶ エ

問題79 商業動態統計

1 ／ 2 ／ 3 ／

下図は、経済産業省が公表している商業動態統計を基に、2023年における百貨店、スーパー、家電大型専門店、ホームセンター、コンビニエンスストアおよびドラッグストアの販売額を示したものである。図中のa～fに該当する小売業の組み合わせとして、最も適切なものを下記の解答群から選べ。

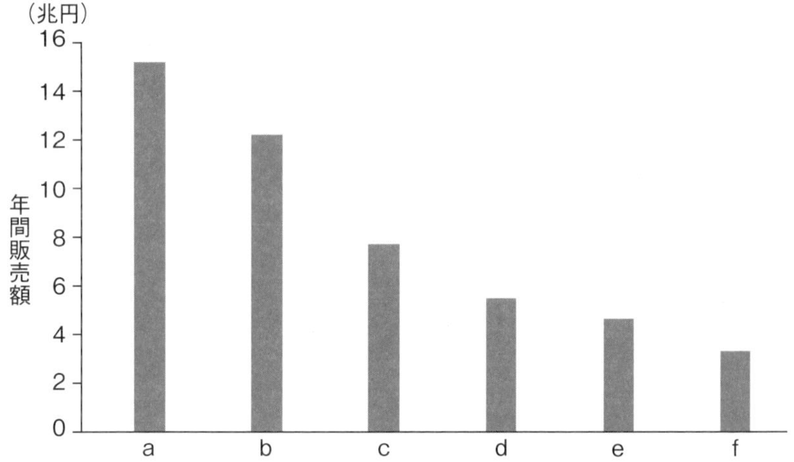

〔解答群〕

ア a：スーパー　b：コンビニエンスストア

イ b：コンビニエンスストア　c：百貨店

ウ c：スーパー　d：百貨店

エ d：家電大型専門店　e：ホームセンター

オ e：ホームセンター　f：ドラッグストア

解説

スピテキLink▶　2編1章3節3項

2019年にドラッグストアの販売額が百貨店の販売額を上回った。

業　態	販売額
スーパー	15兆6,492億円
コンビニエンスストア	12兆7,320億円
ドラッグストア	8兆3,438億円
百貨店	5兆9,557億円
家電大型専門店	4兆6,324億円
ホームセンター	3兆3,411億円

図中のａはスーパー、ｂはコンビニエンスストア、ｃはドラッグストア、ｄは百貨店、ｅは家電大型専門店、ｆはホームセンターが該当する。

正解 ▶ ア

問題80 利益管理

1 ／ 2 ／ 3 ／

ある小売店Xの販売実績などのデータは以下のとおりである。これらの情報をもとに、小売店XのGMROIと交差主義比率を算出した値として、最も近いものの組み合わせを下記の解答群から選べ。

売上高	4,000万円
売上総利益率	45%
商品回転率（売価）	4回
売価値入率	40%

〔解答群〕

ア GMROI 300% 交差主義比率 180%
イ GMROI 450% 交差主義比率 400%
ウ GMROI 180% 交差主義比率 300%
エ GMROI 400% 交差主義比率 450%

解説

スピテキLink▶　2編2章1節1項

GMROIおよび交差（主義）比率の計算問題は頻出であるため正答できるようにしたい。

GMROIは以下の式で求められる。

$$\text{GMROI}=\frac{\text{売上総利益(粗利益)}}{\text{平均在庫高(原価)}}\times 100(\%)$$

また、交差主義比率は以下の式で求められる。

$$\text{交差主義比率}=\frac{\text{売上総利益(粗利益)}}{\text{平均在庫高(売価)}}\times 100(\%)$$

売上総利益（粗利益）を求める過程は以下のとおりである。

売上高4,000万円×売上総利益率45％＝売上総利益（粗利益）1,800万円

また、平均在庫高は売価ベースのものをまず算出する。

平均在庫高(売価)＝売上高4,000万円÷商品回転率(売価) 4 回＝1,000万円

以上より、交差主義比率を算出することができる。

$$\text{交差主義比率}=\frac{\text{売上総利益(粗利益)1,800 万円}}{\text{平均在庫高(売価)1,000 万円}}\times 100(\%)=180\%$$

次に、GMROIを算出するために、平均在庫高(売価)を平均在庫高(原価)に変換する。

平均在庫高(売価)1,000万円×(1 －売価値入率0.4)
　＝平均在庫高(原価)600万円

以上より、GMROIを算出することができる。

$$\text{GMROI}=\frac{\text{売上総利益(粗利益)1,800 万円}}{\text{平均在庫高(原価)600 万円}}\times 100(\%)=300\%$$

正解 ▶ ア

問題 81 利益管理

1 ／ 2 ／ 3 ／

下表の条件で 3 種類の商品を仕入れ、販売単価を設定したとき、3 商品合計の売価値入率（小数点第 2 位を四捨五入）として、最も適切なものを下記の解答群から選べ（単位：%）。

	原価率	販売単価（円）	仕入数量（個）
商品 A	30%	200	200
商品 B	20%	100	150
商品 C	25%	150	300

〔解答群〕

ア 71.2　**イ** 73.8　**ウ** 75.6　**エ** 280.0　**オ** 282.3

解説

スピテキLink▶　2編2章1節1項

値入率は売価決定する際の計画段階の率、つまり商品を販売する前の見込みを示すのに対し、売上総利益率は商品販売後の実績値（結果）の利益率である。

与えられているデータから、各商品の仕入原価総額と設定販売総額を求め、それぞれの仕入原価総額と設定販売総額を合計したうえで、3商品全体の売価値入率を算出する。

	仕入原価総額	設定販売総額
商品A	200円×30%×200個＝12,000円	200円×200個＝40,000円
商品B	100円×20%×150個＝3,000円	100円×150個＝15,000円
商品C	150円×25%×300個＝11,250円	150円×300個＝45,000円
合　計	26,250円	100,000円

売価値入率は、次の計算式で求める。

$$売価値入率（\%）=\frac{値入額}{売価}\times 100$$

値入額＝設定販売総額－仕入原価総額

＝100,000－26,250

＝73,750（円）

売価値入率＝73,750÷100,000×100（%）

＝73.75%

≒73.8%

正解 ▶ イ

問題82 利益管理

1 ／ 2 ／ 3 ／

ある小売店にはA～Cの3つの商品カテゴリーが存在する。各カテゴリーの年間売上高と年間粗利益額は以下のとおりであった。

相乗積に関する記述として、最も適切なものを以下の解答群から選べ。ただし商品カテゴリーごとの粗利益率は変動しないものとする。

（単位：千円）

	カテゴリーA	カテゴリーB	カテゴリーC	合　計
年間売上高	50,000	40,000	10,000	100,000
年間粗利益額	10,000	10,000	4,000	24,000

〔解答群〕

ア　カテゴリーCの相乗積は10%である。

イ　カテゴリーAとカテゴリーBの相乗積は等しい。

ウ　3カテゴリーの相乗積の合計は30%である。

エ　店舗全体の年間売上高が2倍になると、各カテゴリーの相乗積も2倍になる。

オ　他のカテゴリーの年間売上高が一定で、カテゴリーAの年間売上高が2倍になると、店舗全体の粗利益率は高まる。

解説

スピテキLink▶ 2編2章1節1項

相乗積の計算や考え方について理解しておきたい。

相乗積は以下のとおりに算出される。

$$相乗積=\frac{部門粗利益}{店舗売上高合計}\times100(\%)$$

$$=\frac{部門粗利益}{部門売上高}\times\frac{部門売上高}{店舗売上高合計}\times100(\%)$$

相乗積は、各部門の店舗全体に対する利益貢献度を示す指標の1つである。

本問の条件に、算出された相乗積を示した表が以下のとおりである。

(単位：千円)

	カテゴリーA	カテゴリーB	カテゴリーC	合計
年間売上高	50,000	40,000	10,000	100,000
年間粗利益額	10,000	10,000	4,000	24,000
粗利益率	20%	25%	40%	(24%)
相乗積	10%	10%	4%	(24%)

ア ×：カテゴリーCの相乗積は、以下のとおりに算出できる。

$$カテゴリーCの相乗積=\frac{部門粗利益4,000}{店舗売上高合計100,000}\times100(\%)=4\%$$

イ ○：正しい。上図のとおり、カテゴリーA、Bの相乗積はともに10%である。

ウ ×：上図のとおり、3カテゴリーの相乗積の合計は24%である。各部門の相乗積の合計は、店舗全体の粗利益率と合致することは押さえておきたい。

エ ×：すべてのカテゴリーの年間売上高が2倍になっても、各カテゴリーの相乗積は変動しない。以下の式の分母、分子に注目する。

$$相乗積=\frac{部門粗利益}{店舗売上高合計}\times100(\%)$$

すべてのカテゴリーの年間販売額が2倍になれば、分母の店舗売上高合計は2倍となる。そして、同じく分子の各カテゴリーの粗利益率も２倍になる。分母と分子の数字がともに２倍になれば、相乗積は変動しないと判断できる。

オ　×：全体の粗利益率（24%）よりも低い粗利益率（20%）であるカテゴリーＡの売上高が２倍に増加し、他のカテゴリーの売上高が変わらない場合、全体の粗利益率は低下する。

正解 ▶ イ

Memo

問題83 利益管理

1 ／ 2 ／ 3 ／

一般的に用いられる小売店における人時生産性の計算式として、最も適切なものはどれか。

ア 営業利益額÷従業員数
イ 営業利益額÷総労働時間
ウ 粗利益額÷従業員数
エ 粗利益額÷総労働時間
オ 付加価値額÷従業員数

解説

スピテキLink▶　2編2章1節1項

人時生産性の計算式は覚えておきたい。

人時生産性に関する問題である。人時生産性は、小売店舗などにおける生産性を評価する指標の1つであり、一般的に以下のように算出する。

$$人時生産性=\frac{粗利益額}{総労働時間}$$

正解 ▶ エ

問題84 仕入方法

1／ 2／ 3／

小売店の商品仕入に関する記述の正誤の組み合わせとして、最も適切なものを下記の解答群から選べ。

a 消化仕入は、小売店に売れ残りリスクを生じさせる。

b 消化仕入を採用した場合、小売店は商品を一定期間店頭で販売した後、売れ残った商品を買い取る。

c 委託仕入を採用した場合、原則として小売店が販売価格を設定する。

d 委託仕入を採用した場合、小売店は納品段階で仕入計上を行い、売れ残った商品について返品処理を行う。

〔解答群〕

ア	a：正	b：正	c：正	d：正
イ	a：正	b：誤	c：正	d：正
ウ	a：正	b：誤	c：正	d：誤
エ	a：誤	b：正	c：誤	d：正
オ	a：誤	b：誤	c：誤	d：誤

解説

スピテキLink▶　2編2章2節1項

POINT　消化仕入（売上仕入）は、小売店に陳列する商品の所有権をベンダーに残しておき、小売店で売上が計上されたと同時に販売（消化）した分だけ仕入が計上されるという仕入方式である。消費者が小売店から商品を購入したときに、商品の所有権がベンダーから小売店へ、小売店から消費者へと同時に移転する。委託仕入は、契約などでベンダーが商品の販売を小売店に委託する際の仕入方式である。消費者が商品を購入したときに、商品の所有権がベンダーから消費者に移転する。

a　×：消化仕入では、小売店において売れ残った商品はベンダーに戻されるため、小売店側に在庫リスクはない。

b　×：選択肢アの解説のとおり、小売店において売れ残った商品はベンダーに戻される。

c　×：委託仕入では、販売を委託されているに過ぎないため、原則としてベンダーが価格を設定する。

d　×：委託仕入では、小売店は仕入計上せず、所有権をベンダーに残したまま販売を行い、消費者が購入したときには、ベンダーから消費者へ所有権が移転する。

正解　▶ オ

問題85 ISM

1 ／ 2 ／ 3 ／

インストアマーチャンダイジング（ISM）に関連する記述として、最も不適切なものはどれか。

ア ISMは、計画購買者へ販売促進をすることにより、経営資源の小さい企業においても、大きなコストをかけずに売上を向上させる活動である。

イ ISMの目的は、顧客数や来店頻度を増加させることよりも、商品単価や買上点数を増加させることによって、店舗における売上高を増大させることである。

ウ クロスマーチャンダイジングは、ひとつの商品を店内数か所に陳列するため、非効率な一面をもっているが、客単価向上の効果はそれよりも大きい。

エ スペースマネジメントとは、売場スペースを最大限に活用し、売場生産性を向上させるために効率的な売場スペースを立案することであり、スペースアロケーションとプラノグラムに分類される。

オ 買上点数と粗利益率の向上を図るためには、非価格主導型のインストアプロモーションを巧みに展開することが効果的である。

解説

スピテキLink▶　2編2章3節1項

POINT　ISMの考え方が登場した背景は、最初から買う物を決めて来店する人が約1割なのに対して、店内で購買決定する非計画購買が約9割であるという点にある。非計画購買者により多くの購買を促すための売場生産性向上策がISMである。

ア　×：計画購買者ではなく、非計画購買者へ販売促進をするのがISMである。

イ　○：正しい。売上高の規定要因を分解すると、「売上高＝来店客数×客単価」になるが、インストアマーチャンダイジングは、「来店客数」の増加ではなく、「客単価」の増大によって売上高を増大させることを狙いとしている。なお、客単価の増大は「商品単価」と「買上点数」を増加させることによってもたらされる。

ウ　○：正しい。クロスマーチャンダイジングとは、カテゴリーの異なる商品を結び付けて陳列することによって売上拡大を図る販売手法である。同時購入確率の高い商品群は、一つひとつ品種が異なっても、同種商品として括り、同じ売場に陳列することが有効である。しかし、スーパーマーケット等では、伝統的な業種別タテ割り陳列に慣れた消費者を混乱させないために、たとえば、マヨネーズやドレッシングを調味料売場と野菜売場の両方に分散陳列するという方法をとる。分散する陳列手法は非効率な一面があるが、クロスマーチャンダイジングによる関連購買の効果が大きいため、店舗全体においては買上点数の増加につながる。

エ　○：正しい。スペースマネジメントは、フロアマネジメントとシェルフスペースマネジメントに分類される。フロアマネジメントは、扱う商品をグルーピングすることで商品群を設定し、商品群の適正な構成比率や売場レイアウトの設計を行う手法であり、シェルフスペースマネジメントは、売上や収益を最大化するための棚割計画を立案する手法である。

オ　○：正しい。インストアプロモーションは、店内における販売促進活動のことをいい、価格主導型と非価格主導型に分類される。非計画購買者へ販売促進をし、買上点数と粗利益率の向上を図るためには、価格主導型による手法のみならず、ライフスタイル提案等の非価格主導型を積極的に採用することが望ましい。

正解 ▶ ア

問題86 ISM

1 ／ 2 ／ 3 ／

インストアマーチャンダイジング（ISM）に関する記述として、最も適切なものはどれか。

ア ISMは、戦略商品の計画購買を促し、客単価の増大を図ることを目的とする。

イ デモンストレーション販売は、顧客のリピート購買を促し、ロイヤルティを高める効果が期待できる。

ウ ID-POSデータを活用した特定商品のレジクーポンの発行は、消費者の内的参照価格を下げずに、販売促進効果を期待できる。

エ クロスマーチャンダイジングは、顧客が同時に購買した商品を分析する手法である。

解説

スピテキLink▶　2編2章3節1項

POINT インストアマーチャンダイジング（ISM）に関連する用語は頻出であるため、各用語の理解が求められる。

ア　×：ISMは、非計画購買を促し、客単価の増大を図ることを目的としている。計画購買であれば、顧客が商品を自ら探索することを期待できるが、顧客の購買の多くを占める非計画購買は、店舗側の棚割、販売促進などの手法により売上が大きく変化するため、様々な手法を組み合わせたアプローチが必要となる。

イ　×：デモンストレーション販売は、新製品など顧客が購買経験のない商品を試用購入するなど衝動的な購買を促す手法である。顧客のリピート購買（購買経験のある商品の再購買）を促すものではなく、ロイヤルティを高めるような購買の継続性を喚起する手法でもない。

ウ　○：正しい。顧客の属性情報や購買履歴を含んだID-POSデータを活用し、特定商品の購買が期待できる顧客に対し、レジでの決済時にレシートと合わせてクーポンを発行する手法をレジクーポンという。次回来店時に（場合によってはその場で）過去の購買商品と同カテゴリーの新商品を割り引くクーポンを発行するなどして、顧客の再来店や買上点数の増加を図るものである。クーポンは通常表示価格から一定額の割引をするものであり、直接的に売価を引き下げる特売などよりも、実際購入価格（割引後の価格）に対する印象が強く残らない。そのため、顧客の内的参照価格を下げることなく販売促進効果が期待できる。なお、内的参照価格とは、顧客の購買経験や記憶に基づく特定商品の購入価格のことである。顧客は内的参照価格より下回る売価に対して割安感を感じ、購入に結びつくことが多い。直接的な値引は内的参照価格を低下させ、次の購入機会にはさらなる値引がないと購入しないということになり、店舗側は売価の維持が困難になる、という危険性を含んでいる。

エ　×：クロスマーチャンダイジング（CMD）とは、商品カテゴリーを問わず、関連商品を合わせて陳列する手法である。例えば、焼き肉用の肉と焼き肉のたれは異なるカテゴリーで、カテゴリー別陳列であれば「精肉」売場と「調味料」売場に置くものであるが、合わせて陳列することで顧客の関連購買を促す手法である。この場合の焼き肉のたれは、同一商品を「精肉」売場と「調味料」売場の２カ所に陳列することになり、販売・在庫管理や、売場生産性の検討が複雑となるため、高度な管理レベルで実践することが望ましい。本肢の「顧客が同時に購買した商品を分析する手法」は、ショッピングバスケット分析（マーケットバスケット分析）のことを指している。ショッピングバスケット分析を行うことで、同一レシート内にある商品（顧客が同時購買した商品）の関連を分析し、販売の仮説を立てて関連商品の陳列に活かすことができる。

正解 ▶ ウ

Memo

問題87　売場づくりの考え方

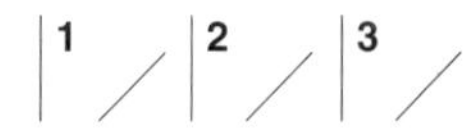

売場づくりの考え方に関する記述として、最も適切なものはどれか。

ア　ワンウェイコントロールとは、買物客を店舗側の計画どおりに誘導することにより、売場回遊を促進して、商品との接点を増やすことである。

イ　同じ商品グループを同じ棚段にバーティカル陳列すると、比較購買しやすい。

ウ　一般的に商品棚前の通路幅が広い方が、ゴールデンゾーンの範囲は狭くなる。

エ　販売促進を行うエンドの販売力は、陳列アイテムの陳列量が少ないほど高まる。

オ　購買率の高いマグネット商品を入口近くに配置することで、売場の回遊性を高めることができる。

解説

スピテキLink▶　2編2章3節1・3項

ワンウェイコンロールは、1つの入口からレジまでの客動線を一筆書きのようにコントロールする手法である。

ア　○：正しい。ワンウェイコントロールとは、店舗設計や店内レイアウトなどによって買物客が店舗の入口から出口まで店内の隅々の場所を回遊するように誘導し、買上点数および客単価を向上させる動線計画のことである。

イ　×：同じ商品グループを同じ棚段にホリゾンタル陳列すると、比較購買しやすい。ホリゾンタル（水平）陳列とは横陳列ともよばれ、同じ棚段に商品を水平的に陳列する手法である。顧客は視線を横に動かすだけで複数の商品を見ることができるため、同じ商品グループの比較購買に適した陳列手法とされている。

ウ　×：ゴールデンゾーンとは有効陳列範囲のうち、特に最も顧客の手の届きやすい位置をいう。店内の通路幅は、陳列棚と顧客との距離に影響を与える。

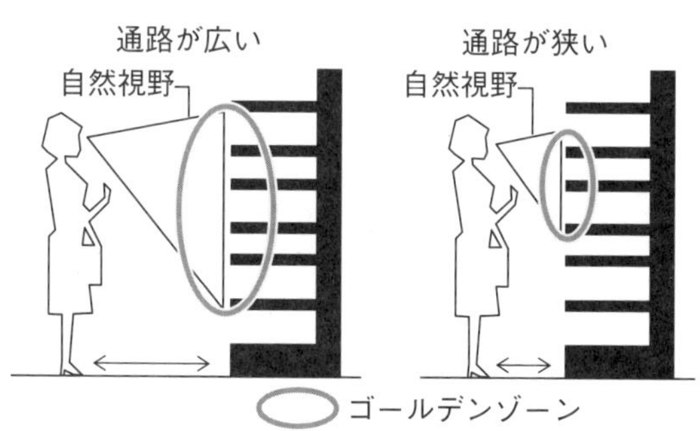

上図のとおり、商品棚前の通路幅を広くすると、当該商品棚のゴールデンゾーンの範囲は広がる。

エ　×：エンド陳列に限らず、陳列アイテムの陳列量と販売力の関係は、基本的に陳列アイテムの陳列量が多いほど露出度が高まるため、販売力が高まる。しかし、アイテムあたりの陳列量を大きくした場合、売場にはサイズの制限があるため、陳列できるアイテム数が減少する。したがって、アイテムあたりの陳列量とアイテム数のバランスを検討することが重要である。

オ　×：マグネット商品とは、購買率が高い、顧客を引き寄せる力が強い商品のことである。マグネット商品を入口近くに配置した場合、レジ近くの当該商品のみを購入し退店してしまう顧客が増加してしまう。結果的に、客動線を短くしてしまい、売場の回遊性の低下が懸念される。マグネット商品は、通路の突き当たりや什器のエンド部分に配し、顧客を店舗の奥に誘導しやすくするのが一般的である。

正解 ▶ ア

Memo

問題 88　ISP

1 ／　2 ／　3 ／

インストアプロモーションに関する記述として、最も適切なものはどれか。

ア　特売を行う場合は、需要の価格弾力性が低い商品を抽出して適用した方がよい。

イ　デモンストレーション販売は、主に顧客の関連購買を促進するための手法である。

ウ　バンドル販売は、非価格主導型の販売促進手法である。

エ　サンプリングは、一般的に小売店が企画して行われる販売促進手法である。

オ　レジクーポンは、顧客の内的参照価格低下の抑制効果が期待できる。

解説

スピテキLink▶　2編2章3節1項

インストアプロモーションの各手法について覚えておきたい。

ア　×：特売を行う場合は、需要の価格弾力性が高い商品を抽出して適用したほうがよい。需要の価格弾力性が高い場合、価格の変化（値下げ）に対して需要量が大きく反応する（増加する）ことが期待できる。

イ　×：デモンストレーション販売は、主に顧客の試用購買を促進するための手法である。実演販売などのデモンストレーションを行う目的は、試しに買ってみようと思ってもらうことである。関連購買が促進されることもあり得るが、それを主目的とした手法とはいうことはできない。

ウ　×：バンドル販売は、価格主導型の販売促進手法である。バンドル販売は、複数の商品を組み合わせて販売し、それぞれ単独で購入するよりも低価格で販売する手法である。実質的な値引きを伴う手法は価格主導型の販売促進手法に分類される。

エ　×：サンプリングは、小売店が企画する場合と、メーカーや卸売業が企画して行われる場合がある。日用品（たとえばシャンプー）のサンプリングなどはメーカー側が企画し用意した試供品を提供する手法となることが多い。

オ　○：正しい。レジクーポンは、顧客の内的参照価格低下の抑制効果が期待できる。顧客の内的参照価格とは、過去の購買経験に基づき記憶している価格のことである。顧客は内的参照価格と、当日の商品価格（外的参照価格）を比較して購買検討する。特売などで明示的に売価を低下させると内的参照価格が低下するため、今後の購買に関してはさらなる値引きを行わないと購買につながりにくいという特徴がある。クーポンは、値引き後の売価を明示するものではないため、顧客の内的参照価格を低下させにくいとされる。

正解 ▶ オ

問題89 什器

1 ／ 2 ／ 3 ／

店舗什器に関する記述として、最も不適切なものはどれか。

ア ゴンドラ什器は、一般的には1,500㎜幅で区切られているものが最も多く使われている。

イ ハンガー台を利用した陳列は、ゴンドラ陳列に比べてスペース効率は悪いものの商品管理の効率がよいという利点がある。

ウ 高額な高級商品の陳列方法は、顧客が直接商品に触れることができないようにするためにクローズドケースを利用し、対面販売によって販売する。

エ ショーウインドウは、法律によって営業時間が制限されることの多いヨーロッパにおいて発展した販売促進ツールであり、ボックス型はオープン型に比べて視線を集めやすい。

解説

スピテキLink▶ 2編2章3節2項

POINT 什器とは日常使用する家具や道具のことで、店舗の商品陳列などに利用されるものを陳列用什器とよぶ。陳列用什器には、陳列棚、ショーウインドウ、ステージ、陳列台、ショーケースなどがある。

ア ×：ゴンドラ什器に限らず、販売用什器は1,000mm幅のものもあるが、一般的には900mm幅で区切られているものが多い。これは什器の前に顧客が立ったときの視界が900mm幅であるといわれているためや、我が国の建築業界における尺貫法を単位基準としているためなどである。3尺で約900mm、6尺（1間）で約1,800mmである。

イ ○：正しい。ゴンドラに棚陳列をしている場合、顧客が手にとってデザインなどを確認して戻す際に、どうしても陳列が乱れてしまい、折りたたむ手間が発生する。ハンガー台を利用した場合、スペース効率は悪くなってしまうという欠点があるが、ゴンドラ陳列に比べて顧客に商品の魅力をアピールしやすいという利点もある。

ウ ○：正しい。高級腕時計や宝飾品などの陳列および販売方法は記述のとおりである。販売に際しては、顧客の要望に合わせてケースから商品を取り出し、その説明をすることが必要になる。

エ ○：正しい。ヨーロッパでは営業時間を法律で制限されていることが多かった。そのことから閉店後にも宣伝をすることができないかということで発展してきたという経緯がある。ショーウインドウには、店外から店内が見えるオープン型と、内部が壁面になっているボックス型があり、ウインドウショッピングにはショーウインドウ内の演出効果が高く視線を集めやすいボックス型が向いている。

正解 ▶ ア

問題 90 商品陳列

1 ／ 2 ／ 3 ／

商品陳列に関する記述として、最も不適切なものはどれか。

ア　特定商品の陳列フェイス数を増加させると、視認率が上がり販売点数の増加が期待できるが、この効果はフェイス数が多くなるほど逓減していく。

イ　エンド陳列は、顧客の非計画購買を促す効果が期待でき商品回転率を向上させるため、旬を過ぎた商品の入れ替え時の在庫処分に用いることが最適である。

ウ　ボックス陳列は、アパレル商品のサイズ別、デザイン別陳列などに用いられることが多く、同じ商品ラインの異なるアイテムを整理して陳列するときに有効である。

エ　カットケース陳列は、比較的低額な商品の販売数を増加させる効果だけでなく、陳列にかける手間を削減することによる利益増大効果も期待できる。

解説

スピテキLink▶ 2編2章3節3項

陳列方法についてはひととおり概要を知っておけばよい。

ア ○：正しい。陳列フェイス数を増加させると、顧客に視認される確率が高まり、販売点数の増加が期待できる。しかし、この効果はフェイス数が多くなるほど逓減していく（フェイス効果逓減の法則）。極端な例であるが、特定商品のフェイス数を1から2にすると顧客の目に止まりやすくなるが、100から101にすることによる効果はほとんど見込めないであろう。また、特定商品のフェイスを増加させるということは、同じ棚の他商品の露出を減らすこととなる。特定商品だけでなく、売場全体の生産性を上げていくための棚づくりが必要となる。

イ ×：エンド陳列は、スーパーマーケットやコンビニエンスストアでよく見かける一般的な棚（ゴンドラ棚）や洋服のハンガーラックなどの棚の端（エンド）に商品を目立たせて陳列する手法である。棚の端は通路となっており、来店客の通行量が多いためエンドは販売力の高い位置といえる。したがって本肢の前半の記述は正しい。本肢の後半は「在庫処分に最適」となっているが、販売力の高い棚は売上増大効果の高い商品や利益率の高い商品、戦略商品などを陳列し、店舗全体の売上高や利益額を向上させるために活用することが望ましい。在庫処分のために活用することも場合によってはあるであろうが“最適”とはいえない。

ウ ○：正しい。ボックス陳列は、箱形の陳列スペースが縦横に並んだ棚に商品を詰めて陳列する手法である。アパレル商品などで、同じデザインのサイズ別、色別の商品を陳列するときなどに活用される。商品アイテムの比較がしやすく演出性も高い陳列手法である。

エ ○：正しい。カットケース陳列は、陳列什器を用いず配送用の段ボール箱などをカットしてそのまま陳列に使う手法である。比較的低額な商品に用いられ割安感を演出することができる。また陳列にかける手間も少なく、店舗運営コストの削減にもつながる手法である。

正解 ▶ イ

問題 91 商品陳列

1 ／ 2 ／ 3 ／

小売店舗における商品陳列に関する記述として、最も適切なものはどれか。

ア　ジャンブル陳列は、高付加価値商品の陳列に適した陳列手法である。

イ　フック陳列は、小型の文具などの陳列に適し在庫量が分かりやすいメリットがある。

ウ　衣料品の陳列で用いられるボックス陳列は、商品のデザインが見えやすいメリットがある。

エ　ゴンドラ陳列は、フェイスをそろえにくい陳列手法である。

解説

スピテキLink▶　2編2章3節3項

POINT

商品陳列は、小売店舗において、売上や粗利益率の向上を図るうえで重要な要素である。基本的な理論を把握したうえで実際に小売店舗に足を運んで注意深く観察するとイメージ的に理解することができる。

ア　×：ジャンブル陳列は「投げ込み陳列」ともいい、その名のとおりかごやワゴンに商品を投げ込んだままの状態で見せる陳列である。「安さ」をイメージできる陳列方法であるため、特売品や見切り品などの陳列に向いている。ディスカウントストアやスーパーマーケットでよく見る陳列方法であり、投げ込みなので管理上の手間を省けるうえ、移動も簡単、売場によってコーナーのアクセントになるという利点がある。その反面、高級品や高額商品、高付加価値商品には不向きな陳列手法である。

【ジャンブル陳列】

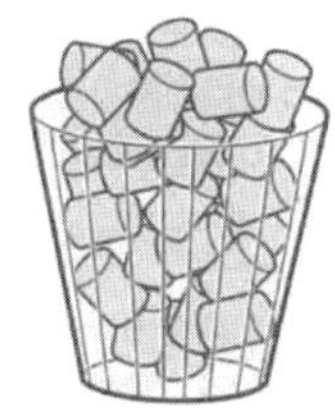

イ　○：正しい。フック陳列は「吊り下げ陳列」ともいい、小物商品などをフック型の什器に吊り下げて陳列する方法で、文房具など小型で軽量の商品に利用される。商品が見やすく、在庫量を把握しやすいメリットがある。

【フック陳列】

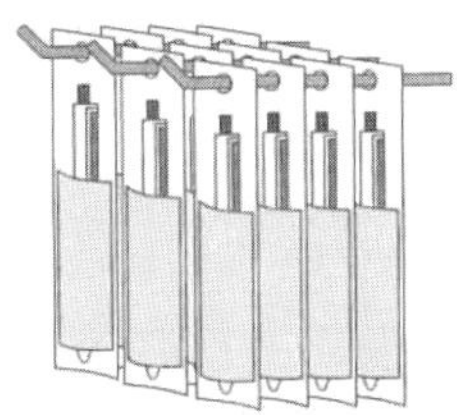

ウ　×：ボックス陳列は、箱型の棚や台を用いる手法であり、衣料品などで利用されている。商品を分類するのが容易となるが、商品のデザインが見えにくくなるなどのデメリットがある。

【ボックス陳列】

エ　×：ゴンドラ陳列とは、一般的にスーパーマーケット、コンビニエンスストア、衣料品店などで利用されている複数の棚のある陳列台であるゴンドラに陳列することである。フェイスをそろえにくいということはない。

【ゴンドラ陳列】

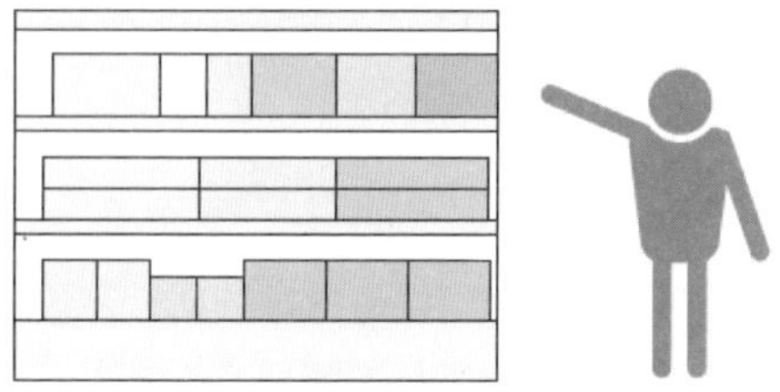

正解 ▶ イ

Memo

問題92 商品陳列

1 ／ 2 ／ 3 ／

小売店であるX社で、棚割の検討を行っている。以下の資料をもとに、最も粗利益額が高くなる陳列数の組み合わせを決定した。この時の予測粗利益額として、最も適切なものを以下の解答群から選べ。

<条件>

(1) 商品A、B、Cの３商品を全て陳列する

(2) 棚は１列のみであり、幅が120cmである

(3) 棚の幅がちょうど埋まるように陳列数を決定する

<陳列数による期間販売予測数>

		商品A	商品B	商品C
商品の幅		30cm	20cm	20cm
陳列数による期間販売予測数（個）	4 個陳列	32	32	64
	3 個陳列	30	30	60
	2 個陳列	28	28	56
	1 個陳列	20	20	40
商品 1 個あたり粗利益額		20	18	12

〔解答群〕

ア 1,080

イ 1,544

ウ 1,592

エ 1,736

解説

スピテキLink▶　2編2章3節3項

問題を解く際は、フェイスの知識を活用しなくても条件を読み取り、計算処理していくことで正解することが可能である。

解答手順は以下のとおりである。

① 条件から実現可能な各商品の販売数の組み合わせを検討する

② ①で選んだ複数の案の総粗利益額を計算し、最大のものを採用する

① 条件(1)・(2)から、商品A、B、Cを最低各1個は陳列し、その時の陳列幅は70cm（30cm＋20cm＋20cm）である。棚は120cmであるから、残り50cmの余裕がある。

条件(3)より、隙間なく商品を並べる必要がある。50cmを埋める商品の組み合わせは、「商品A＋商品B」もしくは「商品A＋商品C」の2とおりである（商品幅が20cmである商品B、商品Cだけでは、50cmをちょうど埋めることは不可能である）。

② 2とおりの組み合わせの総粗利益額を計算し、大きい方を採用する。

商品A 2個＋商品B 2個＋商品C 1個の場合の総粗利益額

＝20×28＋18×28＋12×40＝1,544

商品A 2個＋商品B 1個＋商品C 2個の場合の総粗利益額

＝20×28＋18×20＋12×56＝1,592（>1,544）

正解 ▶ ウ

問題93 VMD

1 ／ 2 ／ 3 ／

衣類を販売する売場づくりにおける、ビジュアルマーチャンダイジング（VMD）に関する記述として、最も不適切なものはどれか。

ア VMDは、商品政策を視覚的に表現することで、販売を促進させる目的がある。

イ ポイントオブセールスプレゼンテーションの目的の一つに、顧客を引き付けるマグネット効果がある。

ウ アイテムプレゼンテーションは、一般的にショーウィンドウやディスプレイステージを使って行う演出表現である。

エ ビジュアルプレゼンテーションとは、視覚に訴える商品提示のことであり、シーズン変化、重点商品、テーマなどの演出を行うことである。

解説

スピテキLink▶ 2編2章3節3項

VMDとは、小売業の販売戦略を実践するうえで、自店のコンセプトを、視覚表現を通じて消費者に訴求する仕組みや手法のことである。

ア ○：正しい。ビジュアルマーチャンダイジングとは、小売業の販売戦略を実践するうえで、自店のコンセプトを視覚表現により消費者に訴求する仕組みや手法のことである。その表現方法としてVP（Visual Presentation：ビジュアルプレゼンテーション）、PP（Point of Sales Presentation：ポイントオブセールスプレゼンテーション）、IP（Item Presentation：アイテムプレゼンテーション）がある。

イ ○：正しい。PPとは、IPの中から特定の商品を選び、商品の持つ魅力や特徴を視覚的に表現することである。棚の上や柱周り、マネキンなどが利用される。PPには来店客を売場に引き付けること（マグネット効果）により回遊性を高め、店内滞在時間を長くする役割がある。

ウ ×：ショーウィンドウやディスプレイステージを使って行う演出表現はマーカーである（選択肢エの解説）。IPとは、単品商品を分類・整理し、見やすく、わかりやすく、選びやすく配置・配列した陳列表現のことである。棚、ハンガーラック、ガラスケースなどの商品を陳列するための什器で展開される。

エ ○：正しい。VPとは、企業・店舗のコンセプトやイメージ等を視覚的に表現することであり、店頭から店内に顧客を誘導する役目を担う。ショーウィンドウのディスプレイ、メインステージなどで展開される。

正解 ▶ ウ

問題94 照明

1 ／ 2 ／ 3 ／

次の文章の中の空欄に入る語句について、最も適切な組み合わせはどれか。

照明は、店内の雰囲気づくりや商品の魅力を高める演出効果を得るために、効果的なものを選択して配置することが重要である。単位時間あたりの空間に光源から放射される光の量を光束と呼び、単位は［ A ］で表す。光源にはLEDや白熱灯などがあり、経済性や、商品の色の見え方を表す［ B ］などに注意して選択する必要がある。また、光源の持つ光の色を定量的に表す色温度は「K（ケルビン）」の単位で表され、色温度が高いほど［ C ］をおびた光色となる。

ア A：lm（ルーメン） B：演色 C：青み
イ A：lx（ルクス） B：照度 C：赤み
ウ A：cd（カンデラ） B：光度 C：赤み
エ A：Ra（アールエイ） B：輝度 C：青み

解説

スピテキLink▶　2編2章3節4項

照明に関しては、本問に出てくる主要な用語と単位を覚え、簡単な説明をできるようにしておきたい。

押さえておきたい用語についてまとめたものが以下の表である。

用語	単位	内容
光束	lm（ルーメン） （空欄Aに該当）	単位時間あたりの空間に光源から放射される光の量
光度	cd（カンデラ）	光源からある方向へ向かう光の強さ
照度	lx（ルクス）	光を受ける面の明るさ
輝度	sb（スチルブ）	ある方向から見た物の輝きの強さ
演色 （空欄Bに該当）	平均演色評価数 （Ra、アールエイ）	物の色の見え方
色温度	K（ケルビン）	物体や天体の可視域での放射の色から推定される色の温度。高いほど青みをおびた光色となる（空欄Cに該当）。

正解 ▶ ア

問題95 色彩

1 ／ 2 ／ 3 ／

店舗施設の案内表示や店の看板、売場を演出する色彩の説明に関して、次の文中の空欄A～Cに入る語句として、最も適切なものの組み合わせを下記の解答群から選べ。

注意を向けている人が対象を探すときの認めやすさを［A］といい、多くの人が利用する案内表示などには、高い［A］が求められる。一方、注意を向けていない人の対象の発見しやすさを［B］といい、黒と黄色の組合せは［A］と［B］のいずれも高いため、鉄道などの出口に関するサインに使用されている。

［A］と［B］が対象の存在の発見に関する用語であるのに対し、発見された対象の文字や数字の読みやすさのことを［C］という。

〔解答群〕

ア　A　視認性　　B：誘目性　　C：可読性

イ　A：視認性　　B：明視性　　C：誘目性

ウ　A：誘目性　　B：視認性　　C：可読性

エ　A：誘目性　　B：可読性　　C：明視性

オ　A：明視性　　B：可読性　　C：視認性

解説

スピテキLink▶　2編2章3節5項

色彩は、視認性、誘目性などの、色のはたらきを中心に押さえたい。

空欄A：視認性が入る。視認性とは、注意を向けて対象を探すときの発見のしやすさのことであり、背景と対象との明度のコントラストが高いほど視認性は高まる。

空欄B：誘目性が入る。誘目性とは、注意を向けていない対象の発見されやすさのことであり、一般的には無彩色より有彩色、特に高彩度色の方が高いとされている。また、全体的に暖色系の色は誘目性が高い。赤や黄が、注意を喚起する色として、危険表示や禁止表示に利用されているのはこのためである。

空欄C：可読性が入る。可読性とは、文字や数字の意味の理解のしやすさのことである。意味を伝える対象が図形であれば、明視性という。明視性、可読性は対象の色によって決まるのではなく、対象と背景の色の関係、特に明度の違いによって大きく変化する。

正解 ▶ ア

問題96 価格政策

1 ／ 2 ／ 3 ／

小売業の価格政策に関する記述として、最も適切なものはどれか。

ア 価格弾力性が低い商品は、チラシなどで値下げの告知をすることが有効である。

イ 慣習価格政策は、価格が市場の実情に合わない場合がある。

ウ EDLP政策では、RFM分析などを利用して、優良顧客層のような着目すべき顧客層を識別することは重要である。

エ ハイ・ロープライシング政策は、内的参照価格の低下を防ぐ効果がある。

オ コストプラス方式の価格設定は、市場に受け入れられれば、利益を確保できるメリットがある。

解説

スピテキLink▶ 2編2章4節1項

価格政策は、企業経営理論でも出題される可能性のある論点である。

2章

ア ×：（需要の）価格弾力性とは、価格を一定割合変化させたときの販売数量の変化の割合のことである。価格弾力性が低い商品とは、価格の下げ幅に対して、需要の増加が小さい商品であり、チラシなどによる大きな集客効果は期待できない。価格弾力性が高い商品は、チラシなどで値下げの告知をすることが有効である。

イ ×：慣習価格とは、消費者が慣習的にその価格水準を認めており、その価格水準を上回る価格設定を行うと需要が激減するものである。たとえば、自動販売機の缶コーヒーなどがこれに相当すると考えられる。慣習価格政策は、市場の実情に合わせた価格である。

ウ ×：EDLP（Every Day Low Price）政策とは、すべての商品を、毎日いつでも低価格で販売する政策である。恒常的な低価格販売を実現するためには、高収益低価格商品の開発、オペレーションコストの削減、仕入れ先との情報共有などの製販同盟やSCM（Supply Chain Management／サプライチェーンマネジメント）の構築が必要となる。RFM分析は、顧客を「R：Recency（最終購買日）」「F：Frequency（購買頻度）」「M：Monetary（購買金額）」という3つの観点でそれぞれポイントを付け、その合計点により、顧客をランク付けして管理していく手法である。RFM分析を通じて、CRM（Customer Relationship Management／顧客関係管理）を強化するなど店舗のサービス水準を高めることは、店舗運営には重要な要素であるが、EDLP政策とは関係がない。

エ ×：ハイ・ロープライシングとは、特売など、通常価格よりも安い価格で提供したり、特売を中止することで通常価格に戻したりといった、店頭で最も一般的に見られる価格政策である。また、内的参照価格とは、消費者の過去の購買経験によってつくられている記憶による価格のことである。特売などを実施することにより、消費者の内的参照価格の低下が懸念される。

オ ○：正しい。コストプラス法とは、製造原価に、一定のマージン（粗利益）を加算することにより、販売価格を設定する方法である。価格が市場に受け入れられるということは、値下げせずに販売が見込めるということであり、利益の確保が可能となる。

正解 ▶ オ

Memo

問題97 物流センターの運営

1 ／ 2 ／ 3 ／

物流センターの運営に関する記述として、最も適切なものはどれか。

ア 種まき方式ピッキングは、オーダーごとにピッキングを行う方式であり、多品種少量の商品を取り扱う場合に適している。

イ 仕分けとは、物品を品種別、送り先方面別、顧客別などに分ける作業のことで、摘み取り方式ピッキングの後に行われることはない。

ウ フリーロケーション管理は、固定ロケーション管理と比べて保管効率が低くなる傾向にある。

エ ピッキング作業や入出庫作業の効率を向上させると、同時に保管効率も向上することが多い。

オ 電子タグを活用したピッキングでは、ピッキングのミスを減らすことや、作業効率を上げることなどが可能となる。

解説

スピテキLink▶　2編3章2節1項

POINT 物流センター内作業では、「ピッキング方式」と「ロケーション管理」が本試験で頻出となっている。

ア　×：本肢の内容は摘み取り方式の説明である。種まき方式はトータルピッキングともよばれ、複数オーダーにわたる商品をまとめて集品し、後でオーダーごとに振り分ける方式である。少品種多量（商品品目数＜オーダー数）の注文状況に適している。

イ　×：仕分けとは、物品を品種別、送り先方面別、顧客別などに分ける作業であることは正しい。摘み取り方式はシングルピッキングともよばれ、オーダーごとに集品を行う方式であるため、通常仕分けが行われないことも多い。ただし、品種別で納品（カテゴリー納品）する場合などには、ピッキングの後に仕分け作業が発生することがある。

ウ　×：固定ロケーション管理は、格納する商品と格納場所を紐付ける保管方式である。紐付けた商品の在庫がないときにもスペースを空けておかなければならないため、フリーケーション管理と比べ、保管効率が低くなる傾向にある。

エ　×：ピッキング作業や入出庫作業の効率を向上させると、保管効率は低下することが多い。ピッキング作業や入出庫作業の効率を向上させるためには、十分な作業スペースを確保する必要がある。特に、入出庫作業にフォークリフトを使用する場合には広い通路が必要となり、仕分け作業に自動仕分け機を使用する場合には設置するスペースが必要となる。一方、保管効率は以下のように算出することができる。

$$保管効率=\frac{保管貨物の総体積(m^3)}{倉庫面積(m^2)}$$

保管効率を向上させるためには、倉庫のあらゆるスペースに、多階層に貨物を積み上げることが必要となるが、その結果としてピッキング作業や入出庫作業の効率を低下させることとなる。つまり、ピッキング作業や入出庫作業の効率と、保管効率とはトレードオフの関係にあると言うことができる。

オ　○：正しい。ピッキングカートのカゴにRFIDリーダーを設置すると、カゴに商品を入れるだけで商品の読取りが可能となり、人手による読取り作業が不要となるため、作業効率や人為的なミスを削減できる。

正解 ▶ オ

Memo

3章

問題 98 物流センターの運営

1 ／ 2 ／ 3 ／

物流センター内作業のピッキングに関する記述として、最も適切なものはどれか。

ア シングルピッキングは、種まき方式ともよばれ、注文単位でピッキングを行うピッキング方式である。

イ トータルピッキングは、多品種少量の注文が多い場合に適したピッキング方式である。

ウ リレー式ピッキングは、倉庫のエリアごとに担当者を配置し、注文ごとに担当エリアの商品をピッキングして次のエリアの担当者にわたすことを繰り返すピッキング方式である。

エ デジタルピッキングとは、無線で指示を受けた自動走行車が倉庫内を巡ってピッキングを行う自動集荷システムのことである。

解説

スピテキLink▶　2編3章2節1項

各ピッキング方式の特徴は押さえておきたい。

ア　×：シングルピッキングは摘み取り方式ともいい、1つの注文単位で商品を集品する方法である。多品種の商品を取り扱う場合、1度にまとめて複数の注文分を集品し後で仕分けするトータルピッキング（種まき方式）を行うと、仕分けが複雑になり、仕分け時間の増加や誤発送などが生じやすいため、シングルピッキングが採用されることが多い。多品種の商品を取り扱うという目安は、一般的に注文数と取扱商品数を比較して、取扱商品数の方が多ければ多品種という判断を行う。

イ　×：トータルピッキングは、種まき方式ともいい、複数の注文分を一度にまとめて集品し、その後複数の出荷先別に商品を仕分ける方法である。多品種少量の注文が多いと、仕分けの負担が大きくなり誤配送の元ともなり得る。したがって、トータルピッキングは、少品種多量の注文が多い場合に有効なピッキング方式といえる。

ウ　○：正しい。リレー式ピッキングは、シングルピッキングを応用したピッキング方式であり、倉庫のエリアごとに担当者を配置し、注文ごとに担当エリアの商品をピッキングして次のエリアの担当者にわたすことを繰り返すピッキング方式である。

エ　×：デジタルピッキングとは、棚にライトを取り付け、作業者はライトの点滅指示により必要数量をピッキングする仕組みのことである。

正解　▶ ウ

問題99　物流センターの機能

1 ／　2 ／　3 ／

チェーン小売業の物流センターの機能に関する記述として、最も適切なものはどれか。

ア　在庫型物流センターでは、受注後に倉庫内から商品をピッキングし、仕分けして配送する手間が生じるため、受注から出荷までのリードタイムが長くなる傾向にある。

イ　在庫型物流センターに保管されている商品の所有権は、メーカーや卸売業などではなく小売業が保有する。

ウ　クロスドッキングは、センターへの納品から出荷までを迅速に行う仕組みであり、通過型物流センターよりも在庫型物流センターで採用されることが多い。

エ　通過型物流センターの入荷形態には、注文商品を事前に納品先別に仕分けした状態で納品する方法と、仕分けしていない状態で納品する方法がある。

解説

スピテキLink▶　2編3章2節2項

在庫型センターと通過型センターの違いを中心として、それぞれの特徴は押さえておきたい。

ア ×：在庫型物流センターでは、センター内に複数カテゴリーの商品を在庫し注文に応じて迅速に商品を発送することができるため、受注から出荷までのリードタイムが短いことが一般的である。対して、通過型物流センターでは、受注してから製造業者や卸売業者がセンターに商品を納品し、その後出荷となるため、在庫型物流センターと比較すると、リードタイムが長くなることが多い。

イ ×：在庫型物流センターに保管されている商品の所有権はベンダー側が持ち、小売店側が在庫リスクを負わないことが一般的である。

ウ ×：クロスドッキングとは、ベンダーから物流センターに到着した荷物を、すぐに出荷するものとしないものに選別し、すぐに出荷する複数の荷物を荷合わせして迅速に出荷する仕組みのことをいう。国内の物流センターにおいては、複数のベンダーが通過型物流センターへの納入タイミングを合わせ、迅速に荷合わせして出荷させる仕組みが多く採用されている。

エ ○：正しい。通過型物流センターの入荷形態にはベンダー仕分け型とセンター仕分け型がある。注文商品を事前に納品先別に仕分けした状態で納品する方法とは、ベンダー仕分け型のことであり、仕分けしていない状態で納品する方法とは、センター仕分け型のことである。

正解 ▶ エ

問題 100 物流センターの機能

チェーン小売業の物流センターの機能に関する記述として、最も適切なものはどれか。

ア 物流センターに対して商品を店舗別に仕分けて納入することは、主に在庫型のセンターで実施される。

イ 通過型センターと比較し在庫型センターの方が、小売店舗に納品するトラックの車両積載効率を上げやすい。

ウ カテゴリー納品を実施することは、小売店の人時生産性向上につながる。

エ 物流センターから店舗へ多頻度小口配送を推進すると、店舗の商品回転率は低下する。

オ 物流センターを経由しない場合に仕入先の数だけ荷受が発生したとすると、通過型物流センターを経由する場合は荷受回数を減らす効果はない。

解説

スピテキLink▶　２編３章２節２項

カテゴリー納品とは、商品を中分類程度に店別配分して納品することである。

ア　×：物流センターに対して商品を店舗別に仕分けて納入することは、通過型センターで実施される。在庫型センターでは商品入荷後、棚に保管されるため、店舗別に仕分けて納入されることは少ない。通過型センターでは、商品を棚に保管することなく店舗に出荷されるため、物流センター内の業務を削減するために、店舗別に仕分けて納入することがある。

イ　×：小売店舗に納品するトラックの車両積載効率に物流センターのタイプは特に影響を与えない。

ウ　○：正しい。カテゴリー納品を実施することで、小売店側の付帯業務が削減され、売上向上に寄与する活動に集中することができるため、人時生産性向上につながる。

エ　×：物流センターから店舗へ多頻度小口配送を推進すると、店舗の平均在庫量は減少する。商品回転率は売上高を平均在庫高で除することで求められるため、商品回転率は向上する。

オ　×：「物流センターを経由しない場合に仕入先の数だけ荷受けが発生したとする」という状況は、小売店にすべての仕入先からトラックが１台ずつ訪れるという状況である。このとき、在庫型物流センター、通過型物流センターともにセンターを経由したほうが、店舗の荷受回数が少なくなる。いずれのタイプのセンターにおいても、複数の仕入先からの商品をまとめて小売店に配送することに変わりがないためである。

正解 ▶ ウ

問題101 輸送手段

1 ／ 2 ／ 3 ／

輸送手段等に関する記述として、最も適切なものはどれか。

ア 一貫パレチゼーションの推進は、積載率の向上につながる。

イ 路線便は、出発時間や到着時間を荷主の都合で指定したいときに利用する。

ウ トラックの実車率を高める方策の1つは、納品先での納品待機時間など手待ち時間を削減することである。

エ 鉄道輸送からトラック輸送へのモーダルシフトを推進することにより、CO_2の排出量抑制に貢献する。

オ RORO（roll-on roll-off）船は、港湾でのコンテナの積み降ろしに専用のクレーンを必要としない。

解説

スピテキLink▶　2編3章2節3項

POINT トラック、鉄道、船舶の各輸送手段の特徴について押さえておきたい。

ア ×：一貫パレチゼーションとは、荷物を出発地から到着地まで、同一のパレットに載せたまま輸送・保管することである。パレットの載せ替えを行わないため、輸送時間や荷役負担、荷物の損傷リスクの低減が図れるが、積載率は向上しない。パレットを使用しないベタ積みと比べると、積載率が低下する可能性がある。

イ ×：出発時間や到着時間を荷主の都合で指定したいときには、貸切便を利用する。

ウ ×：実車率は、トラックの走行距離に占める、実際に貨物を積載して走行した距離の割合のことで、以下の式で算出される。

$$実車率 = \frac{実車距離}{総走行距離}$$

したがって、手待ち時間を削減しても実車率は変わらない。

エ ×：トラック輸送から鉄道輸送へのモーダルシフトを推進することにより、CO_2の排出量抑制に貢献する。

オ ○：正しい。RORO（roll-on roll-off）船は、貨物を積載したトラック、トレーラーをそのまま船内に積み込み、輸送することが可能な船舶であり、LOLO（lift-on lift-off）船と違い、コンテナの積み降ろしに専用のクレーンは不要である。

正解 ▶ オ

問題102 モーダルシフト

1 ／ 2 ／ 3 ／

モーダルシフトに関する記述として、最も適切なものはどれか。

ア モーダルシフトはおおむね500km以上の長距離輸送でないと難しいとされ、国内の輸送での活用事例は少ない。

イ モーダルシフトにより、環境面のメリットだけでなく、長距離輸送でコストが抑えられるなどの効果が期待できる反面、荷量が少ない場合はコスト増につながるおそれがある。

ウ モーダルシフトとは、トラック等の自動車で行われている貨物輸送を環境負荷の小さい鉄道、船舶や航空の利用へと転換することをいう。

エ 輸送量あたりの二酸化炭素排出量は鉄道と比較し船舶の方が少ないことから、特に船舶の利用が推進される。

解説

スピテキLink▶　2編3章2節3項

POINT　モーダルシフトとは、幹線貨物輸送をトラックから大量輸送機関である鉄道または海運へ転換し、トラックとの複合一貫輸送を推進することをいう。

3章

ア　×：従来、モーダルシフトはおおむね500km以上の長距離輸送でないと難しいと考えられてきたが、最近では300km ～400kmといった比較的短い距離でのモーダルシフトの例も増加している。

イ　○：正しい。大量輸送機関である鉄道や船舶を利用することで、輸送コストを抑えることが可能となるが、コンテナ等の空きが多い場合には、コスト増となることがある。

ウ　×：モーダルシフトに航空は含まない。航空は比較的二酸化炭素排出量の多い輸送機関である。

エ　×：輸送量あたりの二酸化炭素排出量は鉄道より船舶の方が多い。また、船舶、鉄道のいずれかが、強く推進されているということもない。

正解 ▶ イ

問題103 トラック運送における生産性指標

1／ 2／ 3／

トラック運送における生産性向上方策に関する記述として、最も適切なものはどれか。

ア 宿泊を伴う長距離輸送を中継輸送に切り替えたところ、宿泊が不要になりドライバーの拘束時間が短縮されたが、実働率は悪化した。

イ パレタイジングを推進することにより、荷役時間の短縮や積載率を高めることができる。

ウ パレット積みからベタ積みに変更して荷物を満載にすることにより、トラックの実車率を高めることができる。

エ 共同配送などにおいて帰り荷を確保することにより、実車率を高めることができる。

解説

スピテキLink▶ 2編3章2節3項

トラック運送の各生産性指標は覚えておきたい。

ア ×：実働率とは、トラックの運行可能な時間に占める、走行や荷役、手待ちなど実際の割合である。実働率の低下が特に問題となるのは、ドライバーの宿泊時に長時間トラックが非稼働となる長距離輸送である。この対応策として250～300km程度の日帰り圏内のネットワークを形成し、複数のトラックが1つの長距離輸送の工程を担う中継輸送の取組みが有効である。よって中継輸送の実施により実働率は改善される。

イ ×：パレタイジングの推進は荷役時間の削減に効果があるが、パレット自体に体積があるため積載率が悪化する可能性がある。

ウ ×：実車率とはトラックの走行距離に占める、実際に貨物を積載して走行した距離の割合である。パレット積みからベタ積み（パレットを使わないで、荷物を直接トラックの床面に乗せていく積み方）に変更しても、実車率に変動はない。

エ ○：正しい。帰り荷を確保することにより、空車で走行した距離が削減され、貨物を積載して走行した距離が増えるため、実車率は向上する。

正解 ▶ エ

問題104 ユニットロード

1／ 2／ 3／

物流におけるユニットロードおよびその搬送機器に関する記述として、最も適切なものはどれか。

ア パレチゼーションとは、物品をパレットに積み、パレット単位で物流を行うことであり、輸送量の増加を促すことを目的としている。

イ パレットは、さまざまな形状の品物の輸送が可能であり、作業が標準化されることにより荷役効率が向上する。

ウ 平パレットを使用することにより、荷役機器を利用しないで済むようになる。

エ ユニットロード化を推進することにより、コンテナやパレットなどの管理や回収の手間を大幅に削減できる。

オ コンテナは、複合一貫輸送には適さない。

解説　スピテキLink▶　2編3章2節4項

POINT ユニットロードとは、輸送貨物をばらばらではなく、ある単位（ユニット）にまとめることをいう。

ア　×：本肢の前半の記述は正しい。パレチゼーションとは、パレットの上に貨物を積載することで、フォークリフトによる機械荷役を実現する方法である。ただし、パレチゼーションは輸送量の増加を促すのではなく、荷役効率の向上などに主眼が置かれる。

イ　○：正しい。パレットとは、１つの単位にまとめた貨物を置くための面があり、人手またはフォークリフト等の専用車両により荷役、輸送、および保管の全てが可能な構造をもつものである。さまざまな形状の品物でも一定の規格のパレットに積み付けると揃った荷姿になるため、作業は標準化され、荷役効率は向上する。

ウ　×：平パレットは、上部構造物のないフォークなどの差込口をもつパレットであり、フォークリフトなどの荷役機器の利用を前提としている。

エ　×：ユニットロードとは、輸送貨物をばらばらではなく、ある単位（ユニット）にまとめることをいう。ユニットロードシステムは、輸送貨物をこのユニットにまとめた状態で、輸送、保管、荷役を行う仕組みである。コンテナやパレットなどの管理や回収の手間を大幅に削減できるわけではない。

オ　×：複合一貫輸送とは、船舶、鉄道、トラック、航空等の複数の輸送手段を組み合わせて行う輸送方法である。現在、最も多く利用されているのは、海上コンテナを利用した海陸の複合一貫輸送である。複合一貫輸送においては広くコンテナが使用されている。

正解 ▶ イ

問題105　PI値

1 ／　2 ／　3 ／

PI（Purchase Incidence）値を用いた需要予測に関する記述において空欄AとBに入る数字の組み合わせとして、最も適切なものを下記の解答群から選べ。

ある小売店舗は、ある週のレジ通過人数が2,000人であった。この週に単価400円の商品Xが50個売れたとき、この商品の数量PI値は［ A ］である。この店舗の翌週に見込まれるレジ通過人数が3,000人のとき、商品Xの販売数量は［ B ］個と予測できる。

〔解答群〕

ア　A：10　　B：75
イ　A：10　　B：80
ウ　A：25　　B：75
エ　A：25　　B：80

解説

スピテキLink▶ 2編4章1節1項

PI（Purchase Incidence）値とは、来店客数の影響を除外して、商品の販売実績を評価する指標であり、販売期間来店客数1,000人あたりの商品販売実績を表す。

PI値には、金額PIと数量PIがある。

$$数量PI = \frac{総販売点数}{販売期間来店客数} \times 1{,}000$$

$$金額PI = \frac{総販売金額}{販売期間来店客数} \times 1{,}000$$

空欄A：問題文より、販売期間来店客数は2,000人、総販売点数は50個であるため、数量PIは次のとおりとなる。

$$数量PI = \frac{総販売点数}{販売期間来店客数} \times 1{,}000 = \frac{50}{2{,}000} \times 1{,}000 = 25$$

空欄B：AよりPI値は25、翌週の予測来店客数は3,000人であるため、予測販売数量は上式を変形し、次のとおり求めることができる。

$$予測販売点数 = \frac{数量PI \times 予測来店客数}{1{,}000} = \frac{25 \times 3{,}000}{1{,}000} = 75$$

正解 ▶ ウ

問題106 RFM分析

1 ／ 2 ／ 3 ／

ある小売店で、一定期間のID－POSデータをもとにRFM分析を行った。下表はその集計結果である。分析においては、R、F、M各項目について中央値以上の顧客を上位とし、中央値未満の顧客を下位とする。このとき、2項目以上で上位と評価された顧客の人数として、最も適切なものを下記の解答群から選べ。

RFM 集計結果

顧客	R	F	M	合計
001	3	5	6	14
002	1	5	7	13
003	7	8	5	20
004	2	6	6	14
005	4	7	3	14
006	5	6	8	19
平均	3.7	6.2	5.8	－

〔解答群〕

ア　1人　　**イ**　2人　　**ウ**　3人　　**エ**　4人　　**オ**　5人

解説

スピテキLink▶ 2編4章1節1項

RFM分析とは、顧客をRecency（最終購買日）、Frequency（一定期間の購買頻度）、Monetary（一定期間の購買金額）の組合せで得点化し、ランクわけをするものである。

中央値とは複数のデータを大きい順に並べた際に中央となる値のことである。本問のように、データが偶数個の場合は、中央に近い2つの値の平均値が中央値となる。

RFM 集計結果

顧客	R	F	M	合計
001	3	5	6	14
002	1	5	7	13
003	7	8	5	20
004	2	6	6	14
005	4	7	3	14
006	5	6	8	19
平均	3.7	6.2	5.8	—

・Rの中央値：（4＋3）÷2＝3.5
・Fの中央値：（6＋6）÷2＝6
・Mの中央値：（6＋6）÷2＝6

R、F、Mそれぞれの中央値以上となるデータは、上表の網掛けの部分である。2項目以上で上位と評価された顧客は、003〜006の4人である。なお、表内の「合計」や「平均」は本問では使用する必要がないデータであった。

正解 ▶ エ

問題107 ID-POSデータ分析

1 ／ 2 ／ 3 ／

ある小売店の一定期間のID-POSデータから以下のデータが得られた。これらを用いてマーケットバスケット分析を行うこととした。

【抽出したデータ】

全顧客数	100人
商品Xを購入した顧客数	50人
商品Yを購入した顧客数	40人
商品Xおよび商品Yを購入した顧客数	20人

上記データに関する分析内容として、最も不適切なものはどれか。

ア 商品Xおよび商品Yの双方を購入しなかった顧客の全顧客数に対する割合は、0.30である。

イ 支持度（サポート）の値は、0.20である。

ウ 信頼度（コンフィデンス）（商品X→商品Y）の値は、0.50である。

エ Jaccard係数の値は、0.29である。

解説

スピテキLink▶ 2編4章1節1項

POINT ID-POSデータを用いたマーケットバスケット分析では、支持度、信頼度、リフト値の3つの指標について覚えておきたい。本問では選択肢ア・イ・ウの指標を覚えておきたい。

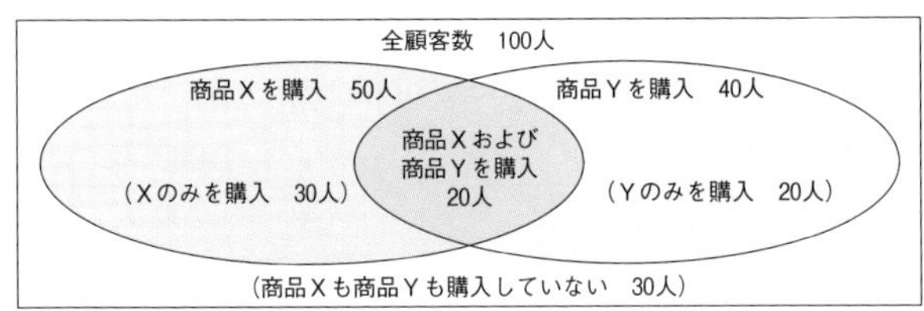

ア ○：正しい。前の図より、商品Xおよび商品Yの双方を購入しなかった顧客の全顧客数に対する割合は、0.30（30÷100より）である。

イ ○：正しい。支持度は以下のように、算出する。

$$支持度=\frac{商品Xおよび商品Yを購入した顧客数}{全顧客数}=\frac{20}{100}=0.20$$

支持度は、分析対象の組み合わせが重要かどうかを示す数値と考えればよい。

ウ ×：信頼度（コンフィデンス、確信度）（商品X→商品Y）は以下のように、算出する。

$$信頼度(X\rightarrow Y)=\frac{商品Xおよび商品Yを購入した顧客数}{商品Xを購入した顧客数}=\frac{20}{50}=0.40$$

信頼度（コンフィデンス、確信度）は、分析対象の組み合わせの相関性を示す指標である。

エ ○：正しい。Jaccard係数とは、2つの集合に含まれている要素のうち共通要素が占める割合を表す。本問の設定でいえば、「商品Xまたは商品Yを購入した人のうち、商品Xおよび商品Yを購入した人の割合」ということができる。

$$Jaccard係数=\frac{商品Xおよび商品Yを購入した顧客数}{商品Xまたは商品Yを購入した顧客数}=\frac{20}{30+20+20}=0.285\cdots\fallingdotseq 0.29$$

正解 ▶ ウ

4章

問題 108　ID-POSデータ分析

1 ／　2 ／　3 ／

ある小売店の一定期間のID-POSデータから以下のデータが得られた。これらを用いてマーケットバスケット分析を行うこととした。

【抽出したデータ】

全顧客数	2,000 人
商品 X を購入した顧客数	200 人
商品 Y を購入した顧客数	400 人
商品 X および商品 Y を購入した顧客数	50 人

このとき、リフト値（商品X→商品Y）の値として、最も適切な値はどれか。

ア　0.5
イ　1.0
ウ　1.25
エ　2.0
オ　2.5

解説

スピテキLink▶ 2編4章1節1項

POINT ID-POSデータを用いたマーケットバスケット分析では、支持度、信頼度、リフト値の3つの指標については覚えておきたい。本問はリフト値を求める問題である。

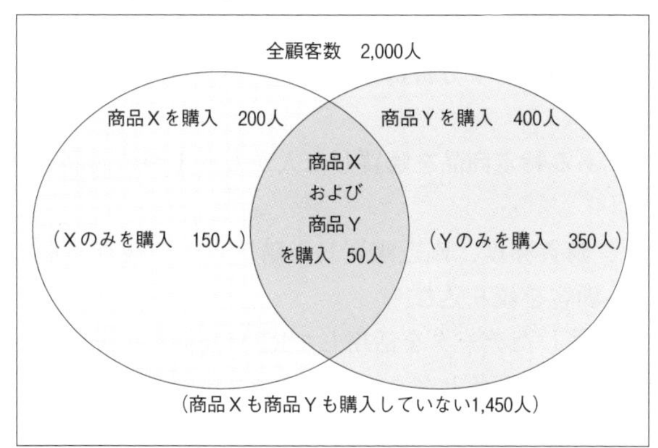

$$\text{リフト値}(X\rightarrow Y)=\frac{\dfrac{\text{商品Xと商品Yを購入した顧客数}}{\text{商品Xを購入した顧客数}}}{\dfrac{\text{商品Yを購入した顧客数}}{\text{全顧客数}}}$$

$$=\frac{\text{信頼度}(X\rightarrow Y)}{\text{全顧客数を対象とした商品Yの購入率}}=\frac{0.25}{0.2}$$

$$=1.25$$

リフト値は、「商品Xを購入した人のうちYを購入した人の割合」（分子）が「全顧客数のうち商品Yを購入した人の割合」（分母）の何倍になるのかを示した値である。この値が仮に1.0の場合、「商品Xを購入した人のうちYを購入した人の割合」と「全顧客数のうち商品Yを購入した人の割合」がイコールであることを示すので、商品Xと商品Yの購買の相関性には特徴がないことがわかる。リフト値が1.0を上回る場合は商品Xと商品Yは併買されやすい関係をもつことになり、リフト値が1.0を下回る場合は商品Xと商品Yはむしろ併買されにくい関係であると判断できる。一般的にリフト値は、1.0を超えれば一定の意味があるととらえられ、2.0を超えれば強い相関性があると考えられている。

正解 ▶ ウ

問題109 CRM

1 ／ 2 ／ 3 ／

小売業におけるCRMと、それに関連する分析方法や手法に関する記述として、最も適切なものはどれか。

ア ショッピングバスケット分析は、FSPデータから優良顧客層を発見する分析方法である。

イ リフト値は、ある特定商品を購買した人がもう１つの商品を同時購買する確率を表す。

ウ RFM分析は、購買頻度、直近購買日、購買点数の観点から顧客をランク分けし、優良顧客を絞り込む。

エ CRMでは、蓄積したデータを活用してRFM分析などを実施して顧客をセグメンテーションし、各セグメントのニーズや行動パターンにあった商品・サービス・情報を提供する。

解説

スピテキLink▶　2編4章1節1項

POINT

CRMはCustomer Relationship Managementの略で、顧客関係管理のことである。顧客関係管理は、顧客の情報や売上などの情報を管理することのみではなく、顧客との「関係」を構築することに重点が置かれる経営手法である。

4章

ア　×：ショッピングバスケット分析は、併買分析ともいい、1人の顧客が「何と何をいっしょに買う（カゴに入れた）か」をレシート単位で分析するものである。併買度の高い（あるいは高めたい）商品の関連陳列やセット販売を促し、客単価の増大を目指すものであり、FSPデータから優良顧客層を発見する分析方法ではない。

イ　×：本肢は信頼度の説明である。リフト値は、「商品Xを購買した人のうちYを購買した人の割合」（分子）が「全顧客数のうち商品Yを購買した人の割合」（分母）の何倍になるのかを示した値である。

$$\text{リフト値（X→Y）}=\frac{\dfrac{\text{商品Xと商品Yを購買した顧客数}}{\text{商品Xを購買した顧客数}}}{\dfrac{\text{商品Yを購買した顧客数}}{\text{全顧客数}}}$$

$$=\frac{\text{信頼度（X→Y）}}{\text{全顧客数を対象とした商品Yの購買率}}$$

ウ　×：RFM分析は、顧客をRecency（直近購買日）、Frequency（購買頻度）、Monetary（一定期間の購買金額）の組み合わせで得点化し、ランク分けする分析手法である。

エ　○：正しい。CRM（Customer Relationship Management）は、顧客関係管理のことであり、顧客の情報や売上などの情報を管理することのみではなく、顧客との「関係」を構築することに重点が置かれる経営手法である。たとえば、購買履歴データベースをRFM分析して優良顧客を抽出し、イベント招待などのDMを送付したり、期間内無利用顧客を抽出し、購買を促すためにクーポン付きDMを送付したりする。

正解 ▶ エ

問題110 顧客生涯価値

1 ／ 2 ／ 3 ／

小売業やサービス業における利益向上について検討する方向性として「顧客生涯価値」を向上させるという考え方がある。「顧客生涯価値」に関する以下の記述のうち、最も適切なものはどれか。

ア 市場シェアの拡大を強く意識して取り組むことが重要と考えられている。

イ 既存顧客の維持よりも新規顧客の獲得に主眼を置いた考え方である。

ウ 顧客生涯価値の向上は売上向上を目的とするため、費用については同時に検討せずに別途検討することが望ましい。

エ 顧客生涯価値を向上させるためには、情報システムを用いた高度な顧客管理が有効である。

解説

スピテキLink▶　2編4章1節1項

POINT 顧客生涯価値とは、同一顧客の連続的な購入によって利益の最大化を図る考え方である。CRMの中核的な考え方となっている。顧客生涯価値は以下のように求める（実際に定量的に計算するというよりも概念的なものととらえてよく、算出の概念（方法）は複数存在する）。

顧客生涯価値

$$= \frac{\text{顧客が生涯に自社から購入する総額(平均購入単価×購入頻度×継続購入期間)}}{\text{(新規顧客獲得コスト＋既存顧客維持コスト)}}$$

※顧客生涯価値は、中長期的な利益獲得の考え方であるため、財務会計で学習する現在価値の割引を行うこともある。

ア　×：顧客生涯価値においては、市場シェアの拡大よりも顧客シェア（顧客内シェア）の拡大に重きを置く。顧客シェアとは、各顧客が購入する商品（サービス）カテゴリーの購入金額に対する、自社商品（サービス）の割合である。市場シェアを拡大する考え方は、誰が買ったかよりも総額でいくら売れたか、を意識する取り組みであるため、顧客一人ひとりとの関係性を深めて自社商品（サービス）を継続的に利用してもらうという思いが希薄になることもある。それに対して、顧客シェアを向上させるには、同一カテゴリーの商品を扱う他社でなく、自社を選択してもらうことが重要であり、顧客との関係性強化が必要となる。また、企業側は同業他社との競合のみならず、顧客の視点に立った他業種との競合も意識した取り組みが必要となる場合がある。たとえば、個人の余暇に対する予算や消費可能時間を意識すれば、映画館とテーマパーク、スマートフォンのアプリなどは異業種ではあるが競合関係にあるといえる。これは市場シェアにはない考え方である。

イ　×：顧客生涯価値は、新規顧客の獲得よりも既存顧客の維持に主眼を置いた考え方である。これは、既存顧客の維持コストが新規顧客の獲得コストよりも小さいことや、既存顧客の愛顧（ロイヤルティ）を高めることで口コミを誘発し、新規顧客の獲得にもつながることなどが理由としてあげられる。なお、新規顧客獲得について一切考慮しないということではないため、注意が必要である。

ウ　×：POINTの計算式のように、獲得する売上とそれに要する費用を同時に検討する必要がある。顧客生涯価値は利益を最大化するための考え方であるため、費用面での検討も必要となる。

エ　○：正しい。顧客生涯価値を向上させるためには、個々の顧客の嗜好やライフステージの変化に合わせた商品提供や販売促進施策が必要となるため、顧客管理が重要となる。これを効率的かつ有効性を高めて行うためには、情報システムの利用が重要となる。

正解 ▶ エ

Memo

問題111　GTIN

1／　2／　3／

商品コード（GTIN）に関する記述として、最も適切なものはどれか。

ア　インストアマーキングは、バーコードの中に価格データが入っていない「NonPLU」タイプと、バーコードの中に価格データが入っている「PLU」タイプの2種類に分けられる。

イ　GTIN-14は、インジケータ、GS1事業者コード、商品アイテムコードで構成されている。

ウ　GTIN-8は日本国内でのみ通用するコードである。

エ　GTINは、GTIN-8、GTIN-12、GTIN-13、GTIN-14の4種類である。

オ　GTIN-8は、GTIN-13を印字することが難しい場合に採用され、具体的には、小型の商品で印字スペースが確保できない場合や、大型商品であってもパッケージデザイン上の制約がある場合などが該当する。

解説

スピテキLink▶　2編4章2節1項

POINT GTIN（Global Trade Item Number）とは、「国際標準の商品識別コードの総称」と定義され、商品・サービスに対して設定するGS１標準の商品識別コードである。

ア　×：インストアマーキングは、バーコードの中に価格データが入っていない「PLU」タイプと、バーコードの中に価格データが入っている「NonPLU」タイプの２種類に分けられる。

イ　×：GTIN-14は、インジケータ、GS１事業者コード、商品アイテムコード、チェックデジットで構成されている。

ウ　×：GTINは、いずれも国際標準の商品コードである。

エ　○：正しい。GTINは、以下の４種類である。

コード	内容
GTIN-８	JAN/EAN 短縮コード
GTIN-12	UPC コード
GTIN-13	JAN/EAN 標準コード
GTIN-14	集合包装用商品コード

UPCコードとは、主にアメリカ・カナダで使用され、JANコードと互換性のある商品コードである。

オ　×：GTIN-８は、GTIN-13を印字することが難しい場合に採用され、具体的には、小型の商品で印字スペースが確保できない場合などが該当する。一方、大型商品であってもパッケージデザイン上の制約がある場合などに任意にGTIN-８を選択することはできない。

正解 ▶ エ

問題 112　GTIN

1 ／　2 ／　3 ／

商品コード（GTIN）に関する記述として、最も適切なものはどれか。

ア　GTIN-12はEANコードと呼ばれ、ヨーロッパで使用される商品識別コードである。

イ　JANコードは、国内のみで利用可能なコードであり、海外に輸出する商品には利用できない。

ウ　日本の事業者に貸与されるGS 1 事業者コードの先頭 2 桁は“45”と“47”である。

エ　インストアコードの場合、先頭 2 桁のプリフィックスに“29”を利用することは正しい利用方法である。

解説

スピテキLink▶　2編4章2節1項

POINT

GTIN-８やGTIN-13のことを、JANコードと呼び、国際的にはEANコードと呼ばれる。JANコードとEANコードは同じものである。

ア　×：GTIN-12は、UPC（Universal Product Code）コードと呼ばれ、北米で使用される商品識別コードである。

イ　×：JANコード（GTIN-13、GTIN-８）は、国際標準の商品コードである。

ウ　×：GTIN-13の最初の２桁は国コードであり、現在“45”と“49”が日本の国コードとなっている。ただし、この国コードは「原産国」を表しているわけではない点に注意が必要である。

エ　○：正しい。インストアコード（インストアマーキング）とは、GTIN（JANコード）が設定されていない商品に対して、事業者が社内管理のために、20～29（インストアマーキング用のプリフィックス：国コードに当たる部分）を先頭に用いて設定するコードである。したがって、先頭２桁のプリフィックスに“29”を利用することは正しい利用方法である。

正解 ▶ エ

問題113 電子タグ

1 ／ 2 ／ 3 ／

電子タグに関する記述として、最も不適切なものはどれか。

ア 電子タグを導入することによって、在庫管理や発注管理における手間を削減することが可能となるため、小売店舗の人手不足対策にも有効な手段と考えられている。

イ 電子タグの利用により、同一商品を２重でスキャンすることを防げる。

ウ 電子タグには一度書き込んだ情報に新たな情報を加えたり、書き換えたりすることもできる。

エ 電子タグは、流通の最終段階で廃棄されることが多く、再利用されることはない。

解説

スピテキLink▶ 2編4章2節1項

POINT バーコードとの違いという観点から、電子タグの特徴を押さえたい。

ア ○：正しい。電子タグは、遠隔から情報の読み込みや書き込みができ、リーダは一度に多くのタグと通信することができるため、棚卸などの在庫管理作業や、自動発注などに活用することができ、小売店舗など流通業における人手不足対策の有効な手段として注目されている。

イ ○：正しい。電子タグにより、SGTINを利用した場合、GTIN（バーコードのみ）だけではできなかった個々の商品の識別が可能になる。１つ１つに異なる番号がついていることで、例えば検品作業や棚卸作業といった大量の商品の読み取り作業をする際、誤って同じ商品のコードを複数回読んでしまう人為的ミスの防止が可能となった。

ウ ○：正しい。電子タグは、データを格納するICチップと小型のアンテナで構成されている。ICチップには、識別コードや用途に応じて様々な情報を書き込むことが可能である。

エ ×：電子タグが、流通の最終段階（例えば最終消費者への販売）で廃棄されることが多いのは正しい。しかし、アパレル業などにおいて、販売時に商品についたタグを外し、回収・再利用する仕組みが見られる。

正解 ▶ エ

問題114　バーコードシンボル

1 ／　2 ／　3 ／

バーコードシンボルに関する記述の正誤の組み合わせとして、最も適切なものを下記の解答群から選べ。

a　JANシンボルとは、国際的にはEANシンボルと呼ばれ、JANコードを表現するためのバーコードシンボルである。

b　ITFシンボルは、数字、記号、アルファベットを扱うことができる。

c　AI（Application Identifier）は、GS 1 -128で使用可能である。

〔解答群〕

ア　a：正　b：正　c：正
イ　a：正　b：誤　c：正
ウ　a：正　b：誤　c：誤
エ　a：誤　b：正　c：正
オ　a：誤　b：誤　c：誤

解説

スピテキLink▶　2編4章2節1項

POINT AI（Application Identifier）とは、GS１が標準化したさまざまな情報の種類とフォーマット（データの内容、長さ、および使用可能な文字）を管理する２桁から４桁の数字のコードである。商品製造日、ロット番号などのデータの先頭に付けて使用する。

a ○：正しい。JANシンボルとは、わが国独自の呼び方であり、国際的にはEANシンボルとよばれている。１つの数字を表すため７つの帯（モジュール）を２本の黒バーと２本の白バーを組み合わせて表現するバーコードシンボルである。JANコード（国際的にはGTIN-13、GTIN-８と呼ばれる）をコンピュータや各種の情報機器に自動入力するために標準化されたバーコードシンボルである。

b ×：ITFシンボルで扱うことができる文字の種類は数字のみである。

c ○：正しい。AIが使えるGS１標準のバーコードシンボルには、GS１-128、GS１QRコードなどがある。

正解 ▶ イ

Memo

Memo

4
章

中小企業診断士　2025年度版
最速合格のためのスピード問題集　3　運営管理

(2005年度版　2005年３月15日　初版 第１刷発行)
2024年11月15日　初　版　第１刷発行

編著者　ＴＡＣ株式会社
(中小企業診断士講座)
発行者　多田敏男
発行所　TAC株式会社 出版事業部
(TAC出版)
〒101-8383
東京都千代田区神田三崎町3-2-18
電話 03(5276)9492(営業)
FAX 03(5276)9674
https://shuppan.tac-school.co.jp
印刷　株式会社 光邦
製本　株式会社 常川製本

ISBN 978-4-300-11410-0
N.D.C. 335

乱丁・落丁による交換，および正誤のお問合せ対応は，該当書籍の改訂版刊行月末日までといたします。なお，交換につきましては，書籍の在庫状況等により，お受けできない場合もございます。
また，各種本試験の実施の延期，中止を理由とした本書の返品はお受けいたしません。返金もいたしかねますので，あらかじめご了承くださいますようお願い申し上げます。

中小企業診断士講座のご案内

ストレート合格を目指す！
TACを選ぶメリット。それは"効率性"！

学習効果が高まるよう編成された質の高いカリキュラム・講師・教材で構成されるTACのコースを受講することで、無理なく実力をつけることができ、効率的に1・2次試験のストレート合格を狙えます。

戦略的カリキュラム

INPUT&OUTPUTの連動・繰返し学習が効果的！
ムリ・ムダを省いた必要十分な学習量！

専門校を利用するメリット！

2次試験合格の秘訣

スケールメリットが合格の可能性を高める！
新作演習問題・添削指導も充実！

充実のフォロー体制

安心して学習できる環境を整備！
学習メディア別に充実したサポート！

全科目のINPUT（知識習得）とOUTPUT（問題演習）を組み合わせたオールインワンコース「1・2次ストレート本科生」「1・2次速修本科生」を開講しています。

2025年合格目標コース ～豊富なコース設定で効率学習をサポート～

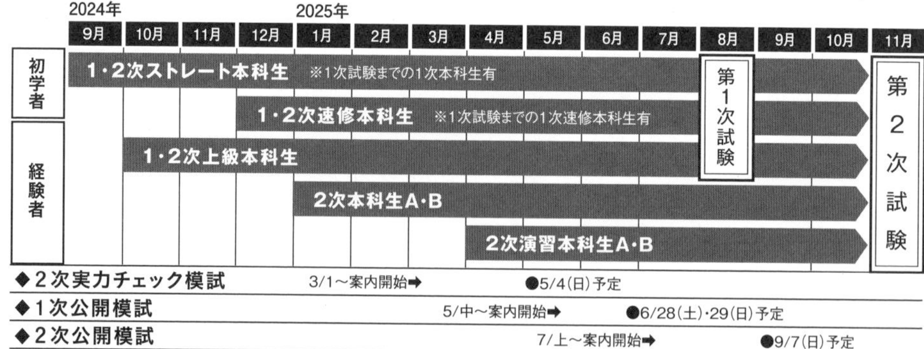

※模試の会場受験にはお席に制限がございます。2次公開模試の会場受験は本科生のみとなり、単科での申込は自宅受験となります。

≪オプション講座≫ ※名称は変更となる場合がございます。日程は予定です。

- ●1次重要過去問チェックゼミ（経営・財務・運営・経済）‥▶3/中旬案内開始
- ●1次「財務・会計」特訓ゼミ‥‥‥‥‥‥‥‥‥‥▶3/中旬案内開始
- ●1次「経済学」解法テクニックゼミ ‥‥‥‥‥‥‥▶3/中旬案内開始
- ●2次事例Ⅳ特訓 ‥‥‥‥‥‥▶8/上旬案内開始
- ●2次事例別過去問対策講義‥▶8/上旬案内開始

※詳細は、案内開始時期にTACホームページおよび資料をご請求ください。

TAC合格者の声

祝賀会・東京会場

表面的な理解ではなく、根本から理解をすることができた

長山 萌音さん

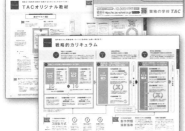

「財務・会計」が苦手で1年目に独学で勉強していた際には理解しないまま試験を受けておりました。そこでTACに通学し、わからない箇所を講師の方に聞くことで、表面的な理解ではなく、根本から理解をすることができました。また、講義の中で効率的な勉強方法をご教示いただき、勉強への取り組み方を身につけることができました。TACを選んだ理由は、①生徒数が多く、合格ノウハウが集まっている、②一次試験から二次口述試験までのカリキュラムが組まれているため、試験ごとの情報収集や模試の検討などの手間が省けると感じたからです。

TACを活用し本来行うべき学習に集中して労力を割く

中尾 文哉さん

学習開始が12月上旬だったため、1,000時間の逆算が成り立たず、合格の為に効率を求めたこと、初回の受験で全体像を把握しながら学習ができるガイドラインや合格の為のノウハウを徹底的に仕入れたかったため、TACのWeb通信講座を受講しました。講義動画がリリースされるタイミングや、各科目のまとめテストの「養成答練」の提出期限も含め、すべてTACのノウハウに基づいてスケジュール化されています。その為、進度管理には労力をかけず、TACが敷いてくれた時間軸のレールの上で本来行うべき学習に集中して労力を割くことができました。

TAC出版 書籍のご案内

TAC出版では、資格の学校TAC各講座の定評ある執筆陣による資格試験の参考書をはじめ、資格取得者の開業法や仕事術、実務書、ビジネス書、一般書などを発行しています！

TAC出版の書籍

＊一部書籍は、早稲田経営出版のブランドにて刊行しております。

資格・検定試験の受験対策書籍

- 日商簿記検定
- 建設業経理士
- 全経簿記上級
- 税　理　士
- 公認会計士
- 社会保険労務士
- 中小企業診断士
- 証券アナリスト
- ファイナンシャルプランナー(FP)
- 証券外務員
- 貸金業務取扱主任者
- 不動産鑑定士
- 宅地建物取引士
- 賃貸不動産経営管理士
- マンション管理士
- 管理業務主任者
- 司法書士
- 行政書士
- 司法試験
- 弁理士
- 公務員試験(大卒程度・高卒者)
- 情報処理試験
- 介護福祉士
- ケアマネジャー
- 電験三種　ほか

実務書・ビジネス書

- 会計実務、税法、税務、経理
- 総務、労務、人事
- ビジネススキル、マナー、就職、自己啓発
- 資格取得者の開業法、仕事術、営業術

一般書・エンタメ書

- ファッション
- エッセイ、レシピ
- スポーツ
- 旅行ガイド（おとな旅プレミアム/旅コン）

書籍のご購入は

1 全国の書店、大学生協、ネット書店で

2 TAC各校の書籍コーナーで

資格の学校TACの校舎は全国に展開!
校舎のご確認はホームページにて

資格の学校TAC ホームページ
https://www.tac-school.co.jp

3 TAC出版書籍販売サイトで

CYBER BOOK STORE TAC出版書籍販売サイト

24時間
ご注文
受付中

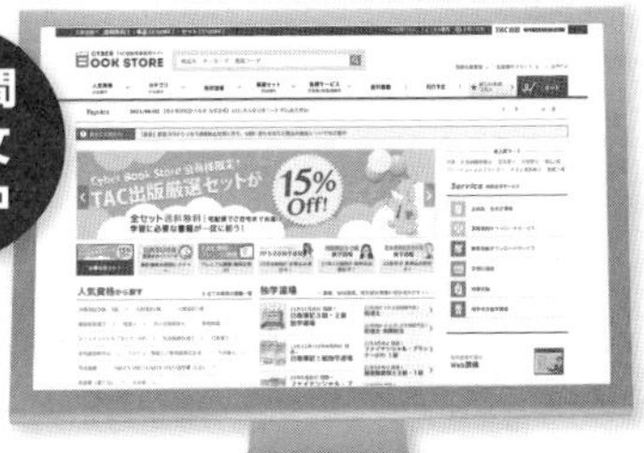

https://bookstore.tac-school.co.jp/

新刊情報をいち早くチェック!

たっぷり読める立ち読み機能

学習お役立ちの特設ページも充実!

TAC出版書籍販売サイト「サイバーブックストア」では、TAC出版および早稲田経営出版から刊行されている、すべての最新書籍をお取り扱いしています。
また、会員登録(無料)をしていただくことで、会員様限定キャンペーンのほか、送料無料サービス、メールマガジン配信サービス、マイページのご利用など、うれしい特典がたくさん受けられます。

サイバーブックストア会員は、特典がいっぱい!(一部抜粋)

通常、1万円(税込)未満のご注文につきましては、送料・手数料として500円(全国一律・税込)頂戴しておりますが、1冊から無料となります。

専用の「マイページ」は、「購入履歴・配送状況の確認」のほか、「ほしいものリスト」や「マイフォルダ」など、便利な機能が満載です。

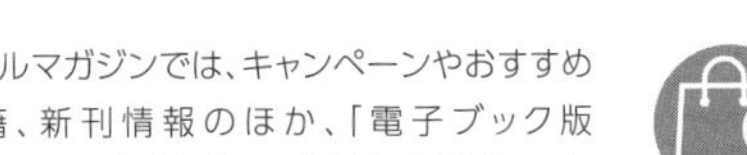

メールマガジンでは、キャンペーンやおすすめ書籍、新刊情報のほか、「電子ブック版TACNEWS(ダイジェスト版)」をお届けします。

書籍の発売を、販売開始当日にメールにてお知らせします。これなら買い忘れの心配もありません。

2025年度

中小企業診断士試験 (第1次試験・第2次試験)

TAC出版では、中小企業診断士試験(第1次試験・第2次試験)にスピード合格を目指す方のために、科目別、用途別の書籍を刊行しております。資格の学校TAC中小企業診断士講座とTAC出版が強力なタッグを組んで完成させた、自信作です。ぜひご活用いただき、スピード合格を目指してください。

※刊行内容・刊行月・装丁等は変更になる場合がございます。

基礎知識を固める

▶ みんなが欲しかった!シリーズ

みんなが欲しかった!
中小企業診断士　合格へのはじめの一歩
A5判　8月刊行

- フルカラーでよくわかる、「本気でやさしい入門書」!
- 試験の概要、学習プランなどのオリエンテーションと、科目別の主要論点の入門講義を収載。

みんなが欲しかった!
中小企業診断士の教科書
上:企業経営理論、財務・会計、運営管理
下:経済学・経済政策、経営情報システム、経営法務、中小企業経営・政策
A5判　10~11月刊行 全2巻

- フルカラーでおもいっきりわかりやすいテキスト
- 科目別の分冊で持ち運びラクラク
- 赤シートつき

みんなが欲しかった!
中小企業診断士の問題集
上:企業経営理論、財務・会計、運営管理
下:経済学・経済政策、経営情報システム、経営法務、中小企業経営・政策
A5判　10~11月刊行 全2巻

- 診断士の教科書に完全準拠した論点別問題集
- 各科目とも必ずマスターしたい重要過去問を約50問収載
- 科目別の分冊で持ち運びラクラク

▶ 最速合格シリーズ

科目別全7巻

①企業経営理論
②財務・会計
③運営管理
④経済学・経済政策
⑤経営情報システム
⑥経営法務
⑦中小企業経営・中小企業政策

最速合格のための
スピードテキスト
A5判　9月~12月刊行

- 試験に合格するために必要な知識のみを集約。初めて学習する方はもちろん、学習経験者も安心して使える基本書です。

科目別全7巻

①企業経営理論
②財務・会計
③運営管理
④経済学・経済政策
⑤経営情報システム
⑥経営法務
⑦中小企業経営・中小企業政策

最速合格のための
スピード問題集
A5判　9月~12月刊行

- 『スピードテキスト』に準拠したトレーニング問題集。テキストと反復学習していただくことで学習効果を飛躍的に向上させることができます。

書籍の正誤に関するご確認とお問合せについて

書籍の記載内容に誤りではないかと思われる箇所がございましたら、以下の手順にてご確認とお問合せをしてくださいますよう、お願い申し上げます。

なお、正誤のお問合せ以外の**書籍内容に関する解説および受験指導などは、一切行っておりません。**
そのようなお問合せにつきましては、お答えいたしかねますので、あらかじめご了承ください。

1 「Cyber Book Store」にて正誤表を確認する

TAC出版書籍販売サイト「Cyber Book Store」の
トップページ内「正誤表」コーナーにて、正誤表をご確認ください。

CYBER BOOK STORE TAC出版書籍販売サイト

URL:https://bookstore.tac-school.co.jp/

2 1の正誤表がない、あるいは正誤表に該当箇所の記載がない ⇒ 下記①、②のどちらかの方法で文書にて問合せをする

★ご注意ください★

お電話でのお問合せは、お受けいたしません。
①、②のどちらの方法でも、お問合せの際には、「お名前」とともに、
「対象の書籍名(○級・第○回対策も含む)およびその版数(第○版・○○年度版など)」
「お問合せ該当箇所の頁数と行数」
「誤りと思われる記載」
「正しいとお考えになる記載とその根拠」
を明記してください。
なお、回答までに1週間前後を要する場合もございます。あらかじめご了承ください。

① ウェブページ「Cyber Book Store」内の「お問合せフォーム」より問合せをする

【お問合せフォームアドレス】

https://bookstore.tac-school.co.jp/inquiry/

② メールにより問合せをする

【メール宛先　TAC出版】

syuppan-h@tac-school.co.jp

※土日祝日はお問合せ対応をおこなっておりません。
※正誤のお問合せ対応は、該当書籍の改訂版刊行月末日までといたします。

乱丁・落丁による交換は、該当書籍の改訂版刊行月末日までといたします。なお、書籍の在庫状況等により、お受けできない場合もございます。
また、各種本試験の実施の延期、中止を理由とした本書の返品はお受けいたしません。返金もいたしかねますので、あらかじめご了承くださいますようお願い申し上げます。

TACにおける個人情報の取り扱いについて
■お預かりした個人情報は、TAC(株)で管理させていただき、お問合せへの対応、当社の記録保管にのみ利用いたします。お客様の同意なしに業務委託先以外の第三者に開示、提供することはございません(法令等により開示を求められた場合を除く)。その他、個人情報保護管理者、お預かりした個人情報の開示等及びTAC(株)への個人情報の提供の任意性については、当社ホームページ(https://www.tac-school.co.jp)をご覧いただくか、個人情報に関するお問い合わせ窓口(E-mail:privacy@tac-school.co.jp)までお問合せください。

(2022年7月現在)